A-Z HIGH WYCOMBE

C000253917

CONTENTS

Key to Map Pages	2-3
Map Pages	4-39

Index to S
Villages, H
Selected P

REFERENCE

Motorway	**M40**	Fire Station	■
A Road	A404	Hospital	Ⓗ
B Road	B474	House Numbers Selected roads	154 38
Dual Carriageway		Information Centre	🄸
One-way Street Traffic flow on A Roads is also indicated by a heavy line on the driver's left.	➡	National Grid Reference	⁴85
Restricted Access		Police Station	▲
Pedestrianized Road		Post Office	★
Track / Footpath		Toilet: without facilities for the Disabled with facilities for the Disabled	▽ ▽
Residential Walkway			
Railway	Level Crossing / Station / Tunnel	Educational Establishment	◣
Underground Station	●—	Hospital or Hospice	◣
Built-up Area	QUEEN ST.	Industrial Building	◣
Local Authority Boundary	—·—·—	Leisure or Recreational Facility	◣
Posttown Boundary	———	Place of Interest	◣
Postcode Boundary within Posttown	·—·—·	Public Building	◣
Map Continuation	▲ 14	Shopping Centre & Market	◣
Car Park (Selected)	℗	Other Selected Buildings	◣
Church or Chapel	†		

Scale

1:19,000

0	¼	½	¾ Mile
0	250	500	750 Metres 1 Kilometre

3⅓ inches (8.47 cm) to 1 mile

5.26 cm to 1 kilometre

Copyright of Geographers' A-Z Map Company Limited

Head Office :
Fairfield Road, Borough Green, Sevenoaks, Kent TN15 8PP
Telephone 01732 781000 (Enquiries & Trade Sales)
01732 783422 (Retail Sales)

www.a-zmaps.co.uk

Copyright © Geographers' A-Z Map Co. Ltd.

 Ordnance Survey®

This product includes mapping data licensed from Ordnance Survey®with the permission of the Controller of Her Majesty's Stationery Office.

EDITION 1 2005

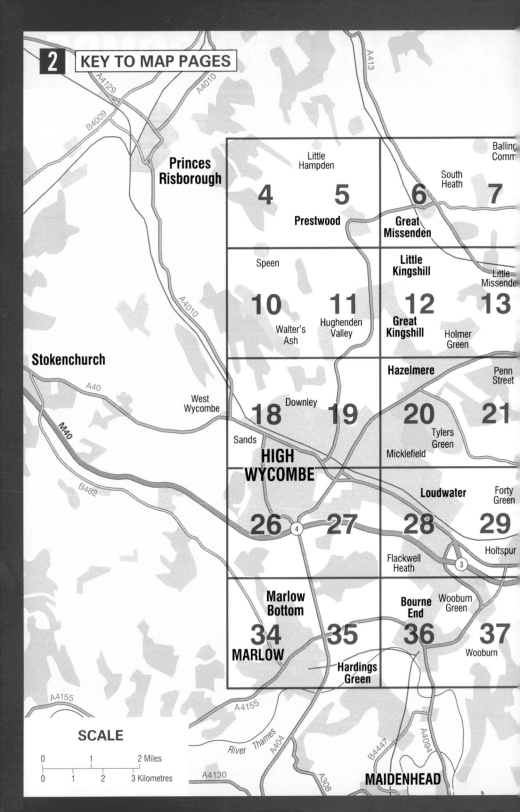

Princes Risborough

Little Hampden

4 **5**

Prestwood

South Heath

6 **7**

Great Missenden

Balling Comm

Speen

Little Kingshill

10 **11** **12** **13**

Walter's Ash

Hughenden Valley

Great Kingshill

Holmer Green

Little Missende

Stokenchurch

West Wycombe

Downley

Hazelmere

Penn Street

18 **19** **20** **21**

Sands

HIGH WYCOMBE

Tylers Green

Micklefield

Loudwater

Forty Green

26 **27** **28** **29**

Flackwell Heath

Holtspur

Marlow Bottom

Bourne End

Wooburn Green

34 **35** **36** **37**

MARLOW

Hardings Green

Wooburn

SCALE

0   1   2 Miles

0   1   2   3 Kilometres

River Thames

MAIDENHEAD

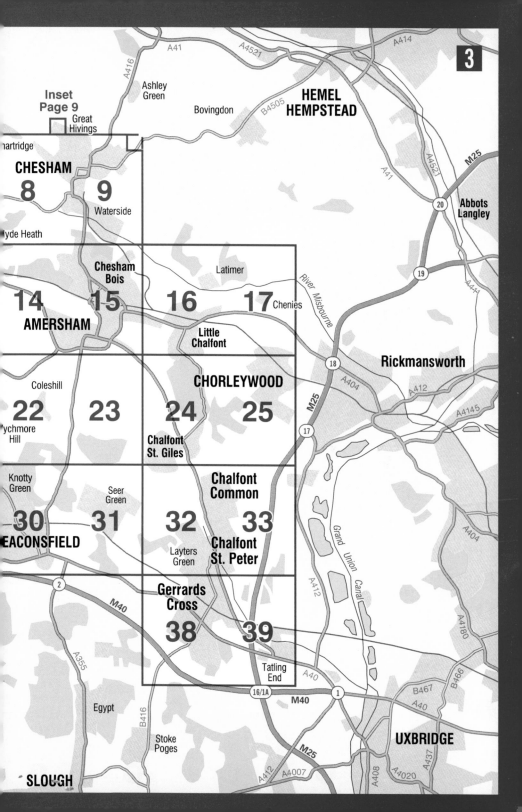

3

Inset
Page 9

Great
Hivings

martridge

CHESHAM

8

9

Waterside

yde Heath

Ashley
Green

Bovingdon

**HEMEL
HEMPSTEAD**

A41

A4521

B4505

A414

M25

A41

A4521

A416

Abbots
Langley

20

19

A41

Chesham
Bois

Latimer

River Misbourne

14

15

16

17

Chenies

AMERSHAM

Little
Chalfont

Rickmansworth

18

A404

A412

A4145

Coleshill

CHORLEYWOOD

22

23

24

25

ychmore
Hill

Chalfont
St. Giles

17

M25

A404

Knotty
Green

Chalfont
Common

Seer
Green

30

31

32

33

EACONSFIELD

Layters
Green

**Chalfont
St. Peter**

Grand Union Canal

A412

A4180

2

**Gerrards
Cross**

M40

38

39

A355

Tatling
End

A40

A4020

A437

B467

B466

16/1A

M40

1

Egypt

B416

A40

Stoke
Poges

M25

UXBRIDGE

A412

A4007

A408

A4020

SLOUGH

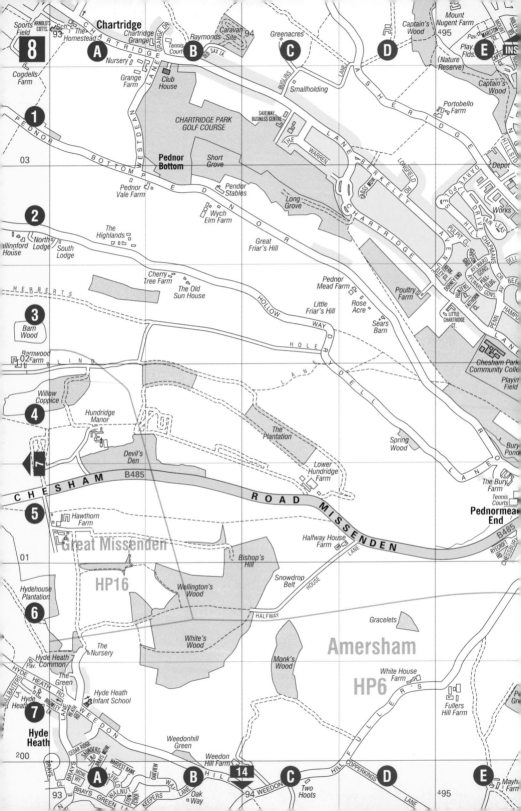

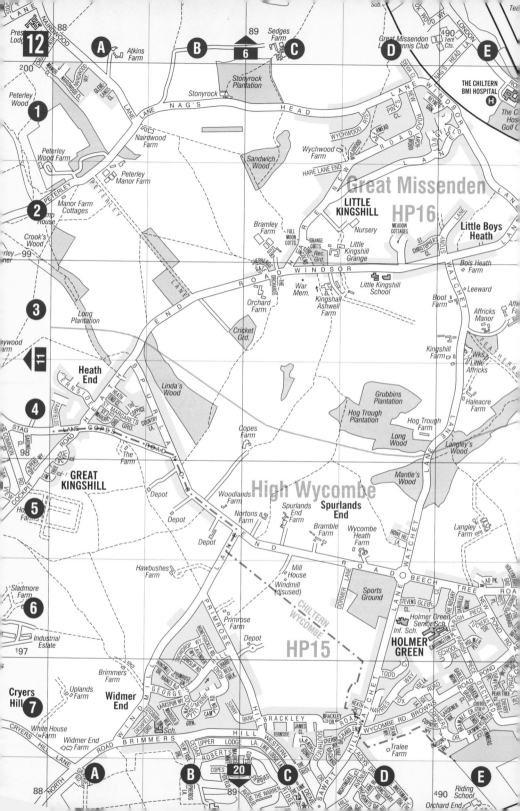

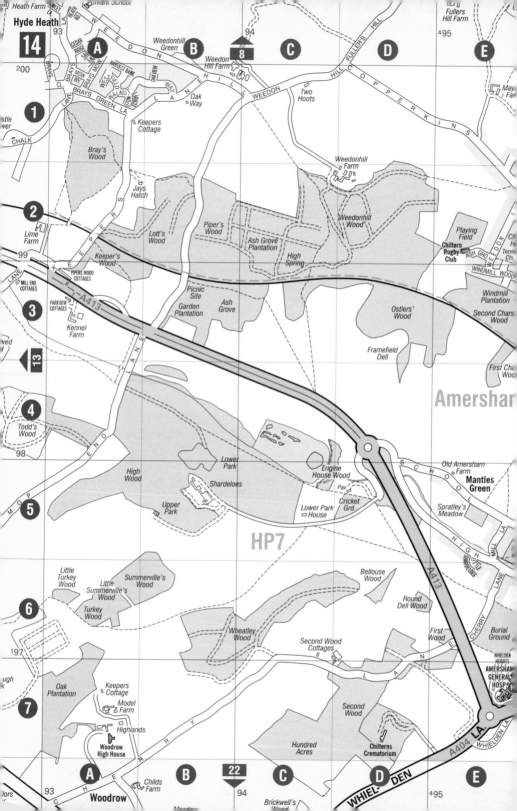

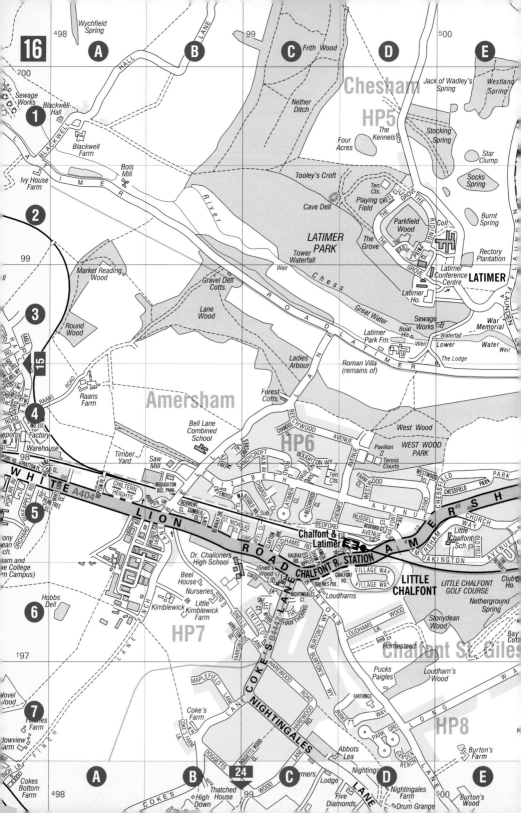

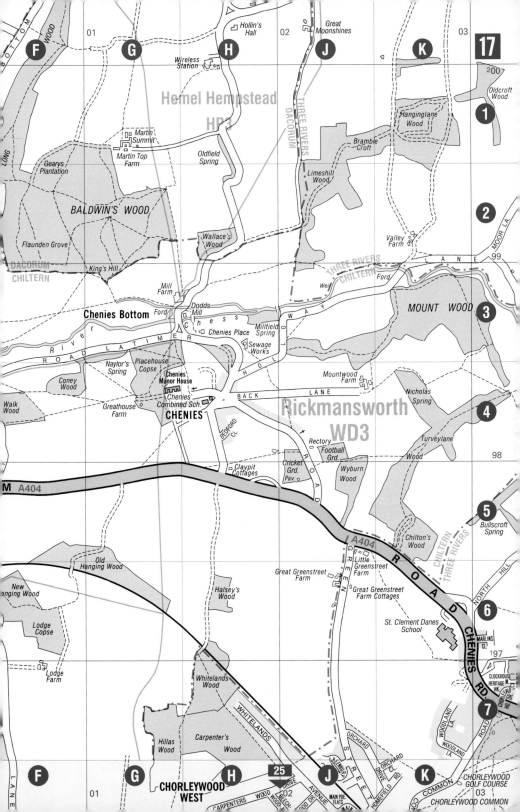

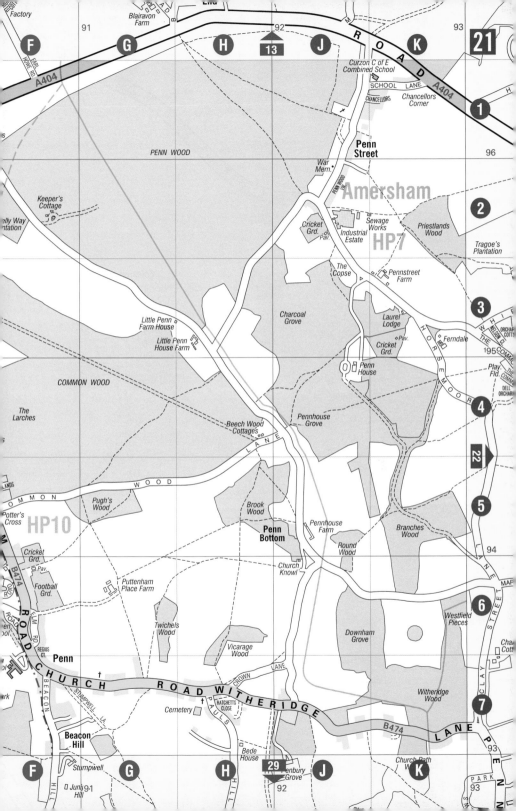

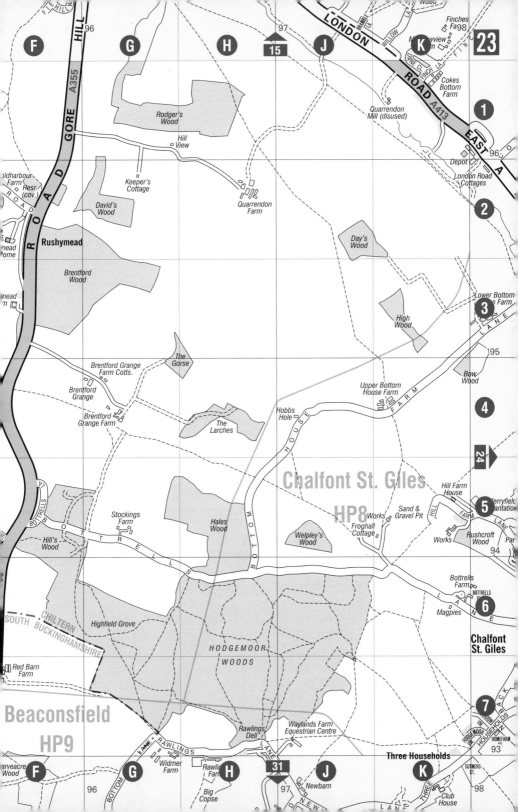

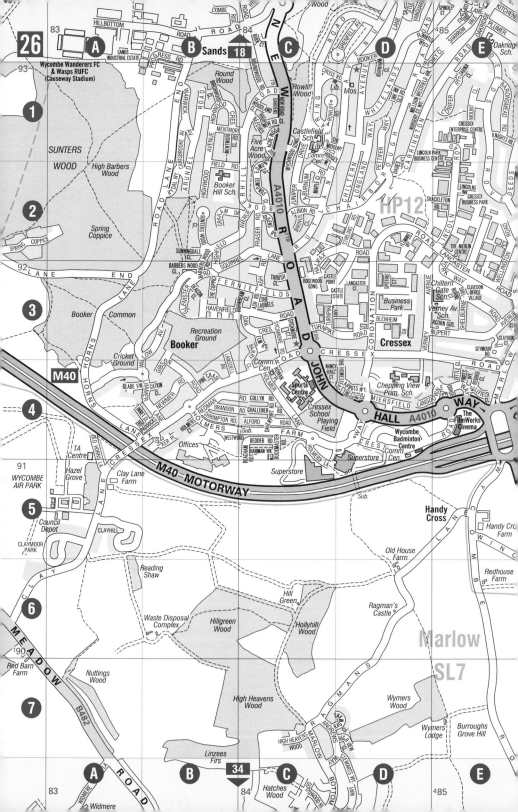

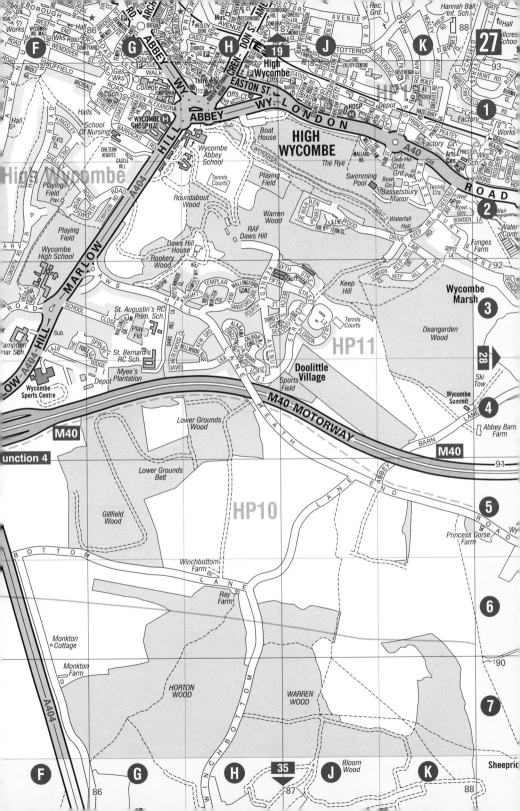

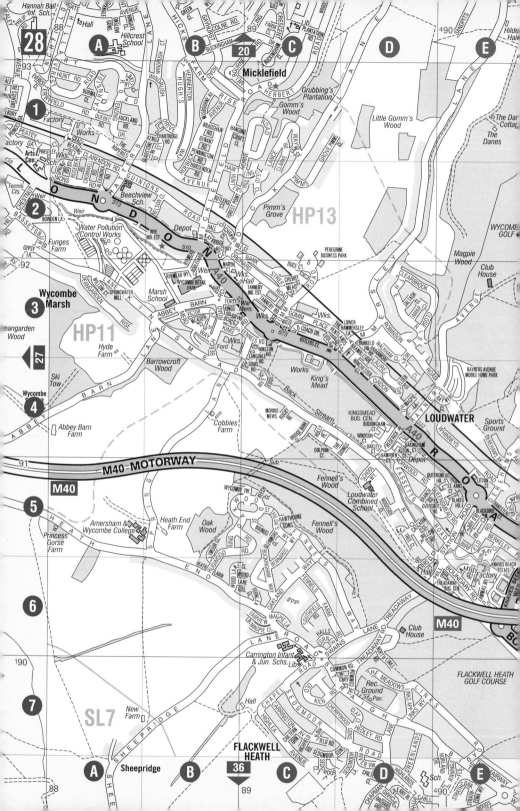

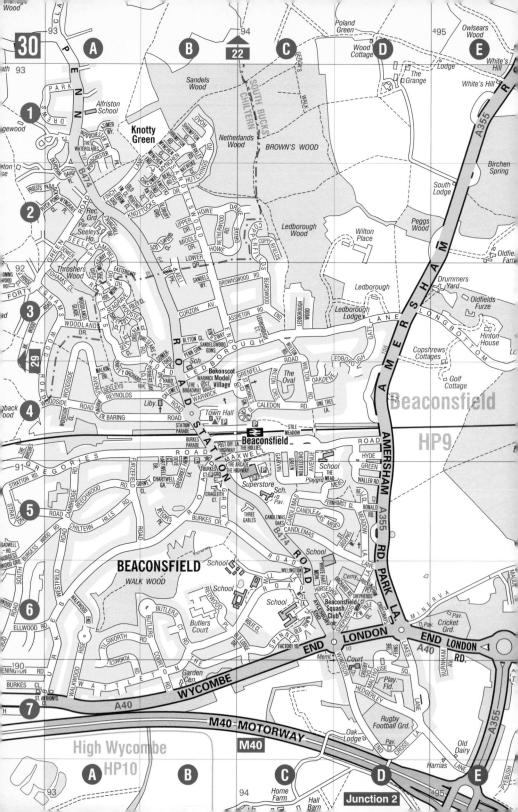

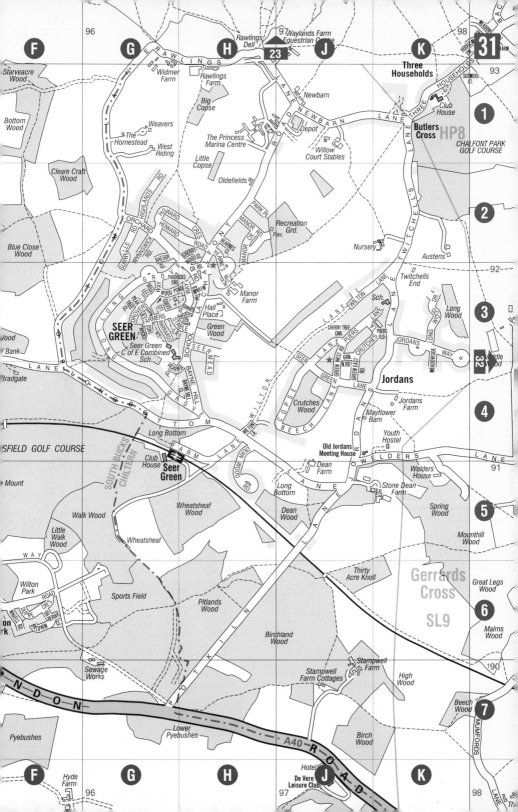

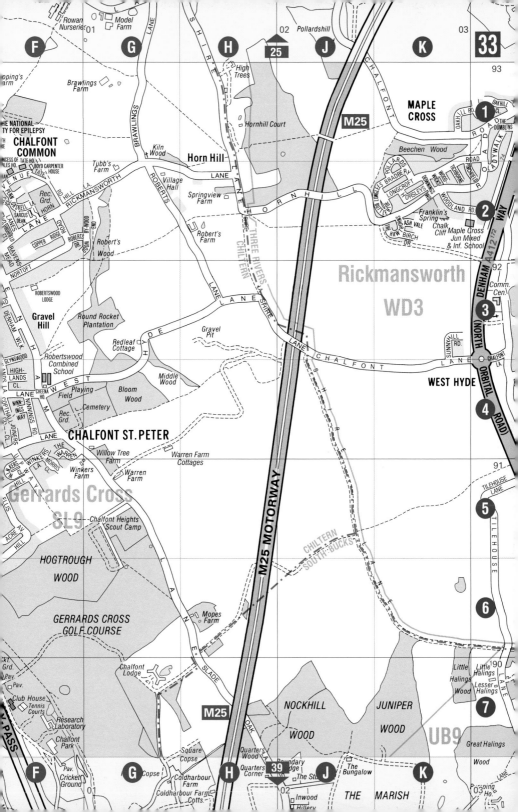

F G H ⬆ 27 J K

WOOD

Sheeprid

1

Bloom Wood

Burroughs Grove

Horton Wood

Bloom Farm Woodlands House

Bloom Wood

86 87 88 89

Merton's Hole Cottage

Wood Barn Farm

2

Fern Ho.

FERN LANE

Fern

PUMP LANE NORTH

Pump Farm

Wilton Farm

A4155 ROAD

3

ELMTREES CARAVAN SITE

Pav. Sch
Rec. Grd.

Little Marlow

88

The Scrubs

WILTSHIRE ROAD

PAGE
CHURCHILL

JAMES CL DR
GEORGE

PUMP LANE SOUTH

Pump Farm

MARLOW

CHURCH ROAD

POUND LANE

THE MOOR

Great Marlow School

ELIOT CL
JEROME CL
STAPLETON CL
MILLER

117

A404

Manor Ho.

Moor Cotts.

4

Sluice

36 ▶

A4155 ROAD

MARLOW

STANLEY
WILLD
MEAD CL
NEW

MILE ELM

HEIGH

PARKWAY

Sewage Works

THE CRY

Caravan Site

Westhorpe House

Westhorpe Park

Westhorpe Farm

5

187

WESTHORPE

NEWFIELD
NEWTOWN

HOLLAND RD
DALE DR

QUARRY
FOURTH

SAVILE

Towing Path

O.S. REACH

THAMES INDUSTRIAL ESTATE

FIELDHOUSE INDUSTRIAL ESTATE

GLOBE PK.

FIRST

THIRD

6

O.S.

Long Copse

Marlow

GOSSMORE WLK
HYDE GRN

GOSSMORE DRIVE

Club House

Playing Field

WYCOMBE

WINDSOR and MAIDENHEAD

STONE HOUSE LANE

SPADE OAK

Maidenhead

BRADCUTTS

7

GOSSMORE ROAD

Pav. Playing Field

RIVERWOODS

RIVERWOOD AV

Flood Tunnel

WINTER HILL

WOOD LANE

QUARRY

GIBRALTAR

SPARTINS LA.

P

Winter Hill

GIBRALTAR LANE

HILL LANE

Hardings Green

SL6

86

THAMES

A404

F G H J K

86 Herries Sch. 87 88

Hillgrove Farm

ALLEYNS LANE

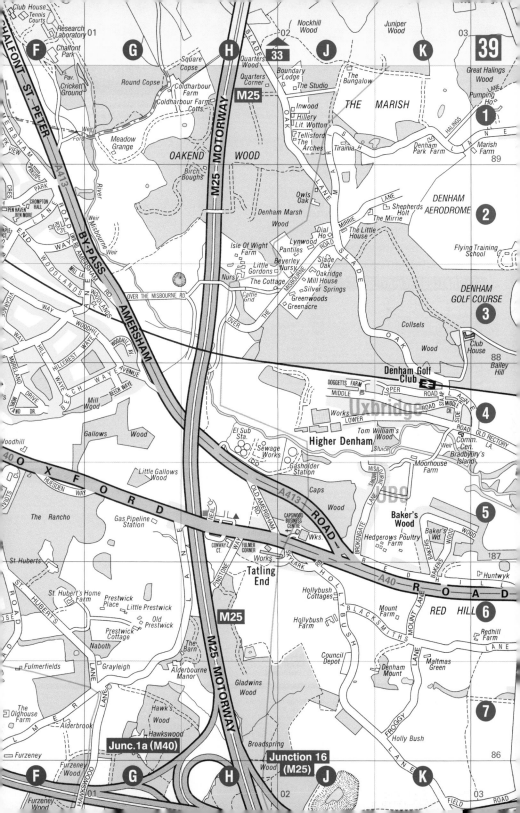

INDEX

Including Streets, Places & Areas, Hospitals & Hospices, Industrial Estates,
Selected Flats & Walkways, Stations, and Selected Places of Interest.

HOW TO USE THIS INDEX

1. Each street name is followed by its Postcode District and then by its Locality abbreviation(s) and then by its map reference;
   e.g. **Abbey Rd.** SL8: Bour E . . . .3B **36** is in the SL8 Postcode District and the Bourne End Locality and is to be found in square 3B on page **36**.
   The page number is shown in bold type.

2. A strict alphabetical order is followed in which Av., Rd., St., etc. (though abbreviated) are read in full and as part of the street name;
   e.g. **Ash Cl.** appears after **Ashburnham Dr.** but before **Ashdown Rd.**

3. Streets and a selection of flats and walkways too small to be shown on the maps, appear in the index with the thoroughfare to which it is connected shown
   in brackets; e.g. **Ambleside** HP6: Amer . . . .3H **15** (off Woodside Rd.)

4. Addresses that are in more than one part are referred to as not continuous.

5. Places and areas are shown in the index in BLUE TYPE and the map reference is to the actual map square in which the town centre or area is located and
   not to the place name shown on the map; e.g. AUSTENWOOD 6D 32

6. An example of a selected place of interest is Amersham Mus. 6F 15

7. An example of a station is Beaconsfield Station (Rail) . . . .4C 30 Included are Rail (Rail) and Tube (Tube)

8. An example of a hospital is CHALFONTS & GERRARDS CROSS HOSPITAL, THE 5D 32

GENERAL ABBREVIATIONS

App. : Approach	**Est.** : Estate	**Mus.** : Museum
Arc. : Arcade	**Fld.** : Field	**Nth.** : North
Av. : Avenue	**Flds.** : Fields	**Pde.** : Parade
Bri. : Bridge	**Gdns.** : Gardens	**Pk.** : Park
Bungs. : Bungalows	**Gth.** : Garth	**Pl.** : Place
Bus. : Business	**Ga.** : Gate	**Ri.** : Rise
Cvn. : Caravan	**Grn.** : Green	**Rd.** : Road
Cen. : Centre	**Gro.** : Grove	**Sth.** : South
Circ. : Circle	**Hgts.** : Heights	**Sq.** : Square
Cl. : Close	**Ho.** : House	**Sta.** : Station
Comn. : Common	**Ind.** : Industrial	**St.** : Street
Cnr. : Corner	**Info.** : Information	**Ter.** : Terrace
Cott. : Cottage	**La.** : Lane	**Trad.** : Trading
Cotts. : Cottages	**Lit.** : Little	**Up.** : Upper
Ct. : Court	**Lwr.** : Lower	**Va.** : Vale
Cres. : Crescent	**Mnr.** : Manor	**Vw.** : View
Cft. : Croft	**Mdw.** : Meadow	**Wlk.** : Walk
Dr. : Drive	**Mdws.** : Meadows	**W.** : West
E. : East	**M.** : Mews	**Yd.** : Yard
Ent. : Enterprise	**Mt.** : Mount	

LOCALITY ABBREVIATIONS

Amer : **Amersham**	Gt K : **Great Kingshill**	Par H : **Parslows Hillock**
Ball : **Ballinger**	Gt M : **Great Missenden**	Penn : **Penn**
B'fld : **Beaconsfield**	Hazle : **Hazlemere**	Penn S : **Penn Street**
Bea E : **Beamond End**	Hedge : **Hedgerley**	P'wd : **Prestwood**
Book : **Booker**	Heron : **Heronsgate**	Rick : **Rickmansworth**
Bour E : **Bourne End**	High W : **High Wycombe**	Sarr : **Sarratt**
Brad : **Bradenham**	Holm G : **Holmer Green**	Seer G : **Seer Green**
Burn : **Burnham**	Hugh V : **Hughenden Valley**	Sth H : **South Heath**
Chal G : **Chalfont St Giles**	Hyde H : **Hyde Heath**	Speen : **Speen**
Chal P : **Chalfont St Peter**	Jord : **Jordans**	Sto P : **Stoke Poges**
Chart : **Chartridge**	L Grn : **Lacey Green**	Terr : **Taplow**
Chen : **Chenies**	Lat : **Latimer**	The L : **The Lee**
Ches : **Chesham**	Lee C : **Lee Common**	Tyl G : **Tylers Green**
Chorl : **Chorleywood**	Lit Chal : **Little Chalfont**	Walt A : **Walters Ash**
Coles : **Coleshill**	Lit Ham : **Little Hampden**	Wend : **Wendover**
Cook : **Cookham**	Lit King : **Little Kingshill**	West H : **West Hyde**
Cry H : **Cryers Hill**	Lit Mar : **Little Marlow**	West W : **West Wycombe**
Den : **Denham**	Lit Mis : **Little Missenden**	Whit : **Whiteleaf**
Down : **Downley**	Loud : **Loudwater**	Wid E : **Widmer End**
Flack H : **Flackwell Heath**	Map X : **Maple Cross**	Winch H : **Winchmore Hill**
Fulm : **Fulmer**	Mar : **Marlow**	Woo G : **Wooburn Green**
Ger X : **Gerrards Cross**	Nap : **Naphill**	Wyc M : **Wycombe Marsh**
Gt H : **Great Hampden**	Nth D : **North Dean**	

A

	Abbotswood HP27: Speen 1C **10**	Acres, The HP13: Down 5E **18**
	Abbotts Va. HP5: Ches 1G **9**	Acres End HP7: Amer 5J **15**
	Abercromby Av. HP12: High W 6D **18**	Adam Cl. HP13: High W 6J **19**
	Abercromby Ct. HP12: High W 6D **18**	Addison Rd. HP5: Ches 2G **9**
Abbey Barn La. HP11: Wyc M 5K **27**	Abney Ct. Dr. SL8: Bour E 6C **36**	Adelaide Rd. HP13: High W 6K **19**
Abbey Barn Rd. HP11: Wyc M 3B **28**	Acacia Ho. SL9: Chal P 5E **32**	Admiral Hood Ho. SL9: Chal P 1E **32**
Abbey Rd. SL8: Bour E 3B **36**	Acorn Cl. HP13: High W 7K **19**	Adstock M. SL9: Chal P 5D **32**
Abbey Wlk. HP16: Gt M 5D **6**	Acorn Gdns. HP12: High W 3E **26**	Akers La. WD3: Chorl 3K **25**
Abbey Way HP11: High W 7G **19**	Acre, The SL7: Mar 6F **35**	Alabama Circ. HP11: High W 3H **27**
ABBOTSBROOK .4B **36**	Acrefield Rd. SL9: Chal P 7D **32**	Alabama Dr. HP11: High W 3H **27**
Abbots Way HP12: High W 4D **26**		

Alaska St. HP11: High W 3H 27
Albany Ga. HP5: Ches 3F 9
Albert Rd. HP5: Ches 4G 9
Albert St. HP13: High W 7J 19
Albion Rd. HP8: Chal G 6B 24
   HP12: High W 2C 26
Alexander Ho. HP5: Ches 7H 9
Alexander St. HP5: Ches 3G 9
Alexandra Pk. HP11: High W 1G 27
Alexandra Rd. HP13: High W 2A 28
Alford Rd. HP12: Book 4C 26
Alfred Ct. SL8: Bour E 5D 36
Alfred Davies Memorial Ground 5D 34
Alice Cl. HP15: Holm G 6E 12
Allanson Rd. SL7: Mar 5F 35
Allen Dr. HP14: Walt A 5C 10
Alleyns La. SL6: Cook 7K 35
Allyn Cl. HP13: High W 6J 19
Alma Rd. HP5: Ches 2G 9
Almond Wlk. HP15: Hazle 3D 20
Alpha Ct. HP7: Amer 7F 15
Altona Rd. HP10: Loud 4E 20
Amber Cotts. HP7: Coles 3D 22
Ambleside HP6: Amer 3G 15
   (off Rickmansworth Rd.)
AMERSHAM 4G 15
AMERSHAM COMMON 5H 15
Amersham Ct. HP6: Amer 7E 14
   (off Woodside Rd.)
AMERSHAM GENERAL HOSPITAL 7E 14
Amersham Hill HP13: High W 7H 19
Amersham Hill Dr. HP13: High W 6J 19
Amersham Hill Gdns. HP13: High W 6J 19
Amersham Mus. .6F 15
AMERSHAM OLD TOWN 6F 15
AMERSHAM ON THE HILL 3H 15
Amersham Pl. HP7: Lit Chal 5C 16
Amersham Rd. HP5: Ches 1F 15
   HP6: Amer 2F 15
   HP6: Lit Chal 5D 16
   HP8: Chal G .1D 32
   (Cherry Acre)
   HP8: Chal G .2A 24
   (Coke's La.)
   HP9: B'fld 4D 30
   HP13: High W 6J 19
   HP15: Hazle .2C 20
   SL9: Chal P .1D 32
   SL9: Ger X 1F 39
   (not continuous)
   UB9: Den 3G 39
   WD3: Chen .5D 16
Amersham Station (Rail) 4G 15
Amersham Way HP6: Lit Chal 5D 16
Amy La. HP5: Ches 5F 9
Andrews Reach SL8: Bour E 6C 36
Andrews Way SL7: Mar 7C 26
Anthony Cl. HP13: Down 5F 19
Apollo Cen. HP11: High W 7F 19
Applefield HP7: Lit Chal 5C 16
Appleton Cl. HP7: Lit Chal 6B 16
Appletree Wlk. HP5: Ches 7H 9
   (off Cresswell Rd.)
Applewick La. HP12: High W 6C 18
Aran Hgts. HP8: Chal G 1B 32
Arbour Vw. HP7: Lit Chal 5B 16
Arcade, The HP9: B'fld 5B 30
Archdale HP11: High W 1F 27
Archer Ct. HP6: Amer 3G 15
   (off Chesham Rd.)
Archers Ct. SL7: Mar 7E 34
Arch Way HP13: High W 7G 19
   HP27: Speen 1B 10
Arizona St. HP11: High W 3H 27
Arklow Cl. WD3: Chorl 1K 25
Arniston Av. HP13: High W 5K 19
Arnold's Cotts. HP5: Chart 1K 7
Arranmore Ho. HP13: High W 3D 28
Arundel Ho. HP13: High W 7B 20
Arundel Rd. HP12: Book 2B 26
Ashburnham Dr. HP14: Walt A 4B 10
Ash Cl. HP14: Walt A 5B 10
Ashdown Rd. HP13: High W 7C 20
Ashdown Way HP6: Amer 3H 15
Asheridge Bus. Cen. HP5: Ches 2E 8
   (off Asheridge Rd.)
Asheridge Rd. HP5: Ches 1D 8
Ashfield Cl. HP15: Hazle 4D 20
Ashfield Rd. HP5: Ches 2H 9

Ashfield Way HP15: Hazle 4D 20
Ash Gro. HP6: Amer 2E 14
Ashlea Rd. SL9: Chal P 6E 32
Ashleigh Cl. HP7: Amer 5J 15
Ashley Ct. HP10: Tyl G 5D 20
Ashley Dr. HP10: Tyl G 4E 20
Ashley Grn. Rd. HP5: Ches 1H 9
Ashtree Wlk. HP15: Hazle 4D 20
Ash Va. WD3: Map X 2K 33
Ashwells Manor Dr. HP10: Tyl G 6D 20
Ashwells Way HP8: Chal G 6D 24
Ashwood Dr. HP5: Ches 3F 9
Assheton Rd. HP9: B'fld 3B 30
Aston Ct. HP11: Wyc M 4D 28
Atlas Ho. HP5: Ches 3F 9
Auckland Rd. HP13: High W 1A 28
Augustine M. HP16: Gt M 5D 6
Austenway SL9: Chal P 7E 32
AUSTENWOOD .6D 32
Austenwood Cl. HP11: High W 3G 27
   SL9: Chal P .6C 32
Austenwood La. SL9: Chal P 6D 32
Avalon Ct. SL8: Bour E 3D 36
Aveling Rd. HP13: High W 1J 27
Avenue, The HP7: Amer 4G 15
   SL8: Bour E .4B 36
Avenue Ho. HP5: Ches 4F 9
   (off Park Rd.)
Avery Av. HP13: Down 4D 18
Aylesbury End HP9: B'fld 6C 30
Aylesbury Rd. HP16: Gt M 1B 6
Aylward Gdns. HP5: Ches 3E 8
Azalea Cl. HP15: Hazle 3C 20

B

Back La. HP8: Chal G 7A 24
   HP16: Gt M .5D 6
   WD3: Chen .4H 17
Badgebury Ri. SL7: Mar 1C 34
Badgers Way SL7: Mar 1D 34
Badger Way HP15: Hazle 1D 20
Badminton Ct. HP7: Amer 6F 15
   (off Church St.)
Bailey Cl. HP13: High W 7J 19
Baines Wlk. HP5: Ches 4F 9
   (off High St.)
Bakers Orchard HP10: Woo G 3G 37
Baker St. HP11: High W 7F 19
BAKERS WOOD .5K 39
Bakers Wood UB9: Den 6K 39
Baldwin Rd. HP9: B'fld 6F 31
Balfour Pl. SL7: Mar 4D 34
BALLINGER COMMON 1G 7
Ballinger Rd. HP16: Sth H 4F 7
Ballinger Row HP16: Ball 1F 7
Balmoral Ct. HP13: High W 7H 19
Bank Rd. HP10: Tyl G 6F 21
Bank St. HP13: High W 2C 28
Banner Ct. HP12: High W 6D 18
   (off Eaton Av.)
Barbers Wood Cl. HP12: Book 3B 26
Barbers Wood Rd. HP12: Book 3B 26
Baring Rd. HP9: B'fld 4B 30
   HP13: High W 7B 20
Barley Cl. HP15: Hazle 3C 20
Barley Way SL7: Mar 7D 34
Barleyfields HP10: Woo G 7G 29
Barnards Hill SL7: Mar 6B 34
Barn Ct. HP12: High W 7C 18
Barnes Av. HP5: Ches 3G 9
Barnes La. HP15: Hazle 4D 20
Barnhill Cl. SL7: Mar 4D 34
Barnhill Gdns. SL7: Mar 4D 34
Barnhill Rd. SL7: Mar 4D 34
Baronsmead Rd. HP12: High W 1E 26
Barracks Hill HP7: Coles 4D 22
Barracks Rd. HP11: High W 1G 27
Barrards Way HP9: Seer G 3G 31
Barratt Pl. HP13: High W 1J 27
Barrington Pk. Gdns. HP8: Chal G 5D 24
Barry Cl. HP12: Book 3C 26
Bartletts SL9: Chal P 4E 32
Bartons Rd. HP10: Tyl G 5C 20
Barton Way HP13: High W 5A 20
Bassetsbury La. HP11: High W 2K 27

Batchelors Way HP5: Ches 2F 9
   HP7: Amer 5H 15
Battingswood Gdns. HP14: Nap 5C 10
Bayley Gdns. HP14: Nap 7E 10
Bayley Hatch HP16: Sth H 4F 7
Bayman Mnr. HP5: Ches 2J 9
Bayne Hill HP9: Seer G 4H 31
Bayne Hill Cl. HP9: Seer G 4H 31
Bay Treet Cl. HP11: Wyc M 5D 28
Beacham Rd. HP12: Book 4C 26
Beacon Cen., The 6J 29
Beacon Cl. HP9: B'fld 6J 29
   SL9: Chal P .4E 32
BEACON HILL 7F 21
Beacon Hill HP10: Penn 7F 21
BEACONSFIELD .5C 30
Beaconsfield Av. HP13: Down 5G 19
Beaconsfield Golf Course 4G 31
Beaconsfield Squash Club
   Beaconsfield .6C 30
Beaconsfield Station (Rail) 4C 30
Bealings End HP9: B'fld 2B 30
BEAMOND END .7H 13
Beamond End La. HP7: Bea E 7H 13
Bearswood End HP9: B'fld 3C 30
Beaufort Cl. SL7: Mar 6E 34
Beaufort Gdns. SL7: Mar 6E 34
Beaumont Ri. SL7: Mar 6E 34
Beaumont Way HP15: Hazle 2B 20
Beckings Way HP10: Flack H 1E 36
Bedder Rd. HP12: Book 4C 26
Bedford Av. HP6: Lit Chal 5C 16
Bedford Cl. WD3: Chen 4H 17
Bedford Ct. HP6: Lit Chal 5D 16
Beech Cl. HP10: Flack H 5C 28
   HP11: Wyc M 3B 28
Beech Ct. HP6: Amer 3G 15
   (off Chesham Rd.)
Beechcroft Rd. HP5: Ches 3E 8
Beeches Gro. HP10: Tyl G 4C 20
Beeches Pk. HP9: B'fld 5B 30
Beechfield Way HP15: Hazle 3D 20
   (Lowfield Way)
   HP15: Hazle .3C 20
   (Rose Av.)
Beech Gro. HP7: Amer 5H 15
Beechgrove Gdns. SL7: Mar 7B 34
Beechingstoke SL7: Mar 5F 35
Beechlands HP15: Hazle 4A 20
Beech La. HP9: Jord 4J 31
   HP16: P'wd 5H 5
Beech Pk. HP6: Lit Chal 4B 16
   HP14: Walt A 4A 10
Beech Rd. HP11: Wyc M 3B 28
Beech St. HP11: High W 3J 27
Beechtree Av. SL7: Mar 3D 34
Beech Tree Rd. HP15: Holm G 6D 12
Beech Waye SL9: Ger X 4F 39
Beechwood Av. HP6: Lit Chal 4C 16
   WD3: Chorl .1J 25
Beechwood Cl. HP6: Lit Chal 5C 16
Beechwood Dr. SL7: Mar 7B 34
Beechwood Nurseries SL7: Mar 7B 34
Beechwood Pl. HP13: High W 7H 19
Beechwood Rd. HP9: B'fld 5A 30
   HP12: High W 4B 18
Beel Cl. HP7: Lit Chal 5C 16
Bekonscot Model Village
   Beaconsfield .4B 30
Bell Cl. HP9: B'fld 5D 30
Bellfield Rd. HP13: High W 6G 19
Bellfield Rd. W. HP13: High W 7F 19
Bellfield Way HP13: High W 7G 19
Bellingdon Rd. HP5: Ches 4F 9
Bell La. HP6: Lit Chal 4B 16
   HP7: Lit Chal 5B 16
Bellwood Ri. HP11: High W 3H 27
Belmont Rd. HP5: Ches 1F 9
Belvedere Cl. HP6: Amer 3K 15
Bench Mnr. Cres. SL9: Chal P 6C 32
Bencombe Rd. SL7: Mar 3E 34
Benham Cl. HP5: Ches 3F 9
Benjamin Ho. HP13: High W 7H 19
   (off Malmers Well Rd.)
Benjamin Rd. HP13: High W 6H 19
Benjamins Footpath HP13: High W 6H 19
Ben More SL9: Ger X 2F 39
Bennetts HP5: Ches 3H 9
Bensheim Way HP6: Amer 4H 15

Bentinck Cl. SL9: Ger X 2D **38**
Berber Bus. Cen. HP11: High W 7E **18**
BERGHERS HILL .4J **37**
Berkeley Av. HP5: Ches 2D **8**
Berkeley Cl. HP5: Ches 3E **8**
Berkeley Rd. HP10: Loud 5E **28**
Berkhampstead Rd. HP5: Ches 3G **9**
Berkley M. SL7: Mar 6F **35**
Berkley Rd. HP9: B'fld 1B **30**
Berks Hill WD3: Chorl 2J **25**
Bernards Cl. HP16: Gt M 5C **6**
Bernards Way HP10: Flack H 6C **28**
Berry Fld. Pk. HP6: Amer 3F **15**
Berry La. WD3: Chorl, Rick 3K **25**
Berwick Cl. HP9: B'fld 6F **31**
    SL7: Mar 5D **34**
Berwick La. SL7: Mar 5D **34**
Berwick Rd. SL7: Mar 5C **34**
Bevan Hill HP5: Ches 2F **9**
Bevelwood Gdns. HP12: High W 7D **18**
Beverley Cl. SL7: Mar 6C **34**
Birch Cl. HP6: Amer 3J **15**
Birchdale SL9: Ger X 5D **38**
Birch Dr. WD3: Map X 2K **33**
Birches, The HP9: B'fld 4K **29**
    HP13: High W 6A **20**
Birches Ri. HP12: High W 6E **18**
Birch Gdns. HP7: Amer 5J **15**
Birch St. HP11: High W 3H **27**
Birch Way HP5: Ches 2H **9**
Birchway HP10: Tyl G 4D **20**
Birchwood Chase HP15: Gt K 4K **11**
Birchwood Cl. HP12: Book 1B **26**
Birdcage Wlk. HP13: High W 7H **19**
Birfield Rd. HP10: Loud 5E **28**
Birinus Cl. HP12: High W 2C **26**
Birkett Way HP8: Chal G 7D **16**
Bisham Rd. SL7: Mar 7E **34**
Bishops Wlk. HP10: Woo G 3G **37**
Black Acre Cl. HP7: Amer 5J **15**
Blackbird M. HP5: Ches 1F **9**
Blacketts Wood Dr. WD3: Chorl 2H **25**
Blackfield La. HP16: Ball 1G **7**
Black Horse Av. HP5: Ches 6H **9**
Black Horse Cl. HP6: Amer 4J **15**
Black Horse Cres. HP6: Amer 4J **15**
Blacksmith La. HP16: P'wd 6J **5**
Blacksmiths La. UB9: Den 6J **39**
Blackthorne La. HP16: Ball 1G **7**
Blackwell Hall La. HP5: Ches, Lat 1A **16**
Blakes Ho. HP10: Loud 5E **28**
Blenheim Rd. HP12: High W 3D **26**
Blind La. HP5: Ches 3A **8**
    HP10: Flack H 2D **36**
    HP16: Hyde H .4J **7**
    SL8: Bour E 4C **36**
Blucher St. HP5: Ches 4F **9**
Blyton Cl. HP9: B'fld 3B **30**
Bobmore La. SL7: Mar 4E **34**
Bodiam Ho. HP13: High W 7B **20**
Bois Av. HP6: Amer 2F **15**
Bois Hill HP5: Ches 7J **9**
Bois La. HP6: Amer 2H **15**
Bois Moor Rd. HP5: Ches 6G **9**
BOOKER 2C **26**
Bookerhill Rd. HP12: Book 2C **26**
Booker La. HP12: High W 7D **18**
Booker Pl. HP12: Book 4B **26**
Boss La. HP14: Hugh V 7H **11**
    HP15: Gt K 7H **11**
Boston Dr. SL8: Bour E 5D **36**
BOTLEY 3K **9**
Botley Ho. *HP5: Ches* *4G* **9**
                                    (off East St.)
Botley Rd. HP5: Ches 3H **9**
Botrells Cl. HP8: Chal G 6A **24**
Botrells La. HP7: Coles, Chal G 5F **23**
Bottom Ho. Farm La. HP8: Chal G 5H **23**
Bottom La. HP5: Ches 4K **9**
    HP9: Seer G 3F **31**
Bottrells La. HP8: Chal G 5F **23**
Boughton Way HP6: Lit Chal 4C **16**
Boulters Ct. *HP6: Amer* *4K* **15**
                                    (off Plantation Rd.)
Boundary Pl. HP10: Woo G 7F **29**
Boundary Rd. HP10: Loud, Woo G 6E **28**
    SL9: Chal P 4D **32**
Bouquet Cl. HP16: P'wd 7J **5**
Bourne Cl. SL8: Bour E 3D **36**

BOURNE END 5D **36**
Bourne End Bus. Pk. SL8: Bour E 5D **36**
Bourne End Station (Rail) 5C **36**
Bourton Ho. *HP7: Amer* *5A* **16**
                                    (off Repton Pl.)
BOVINGDON GREEN 5B **34**
Bovingdon Hgts. SL7: Mar 6B **34**
Bowden La. HP11: High W 2K **27**
Bowerdean Rd. HP13: High W 1K **27**
Bowler Lea HP13: Down 4D **18**
Bowler's Orchard HP8: Chal G 7A **24**
Bowstridge La. HP8: Chal G 7C **24**
Box Tree Cl. HP5: Ches 6H **9**
Boyd Carpenter Ho. SL9: Chal P 2F **33**
Brackens, The HP11: High W 2J **27**
Bracken Way HP10: Flack H 1D **36**
Brackenwood HP14: Nap 6C **10**
Brackley Dr. HP15: Hazle 7C **12**
Brackley Rd. HP15: Hazle 7C **12**
Bradbery WD3: Map X 2K **33**
Bradbury Gdns. SL3: Fulm 7D **38**
Bradcutts La. SL6: Cook 7K **35**
Bradenham Beeches HP14: Walt A 5A **10**
Bradenham Rd. HP14: Brad, West W 1A **18**
Bradenham Wood La.
    HP14: Brad, Walt A 6A **10**
Bradford Rd. WD3: Heron 4J **25**
Bradshaw Rd. HP13: High W 1B **28**
Braeside HP14: Nap 7D **10**
Braid, The HP5: Ches 3J **9**
Braid Gdns. SL9: Chal P 2D **38**
Bramble Cl. SL9: Chal P 3E **32**
Bramble Cres. HP15: Holm G 7E **12**
Bramble La. HP7: Amer 7J **15**
Bramble Mead HP8: Chal G 7A **24**
Brambleside HP11: Wyc M 3D **28**
Bramley End HP14: Hugh V 4G **11**
Brampton M. SL7: Mar 7D **34**
Branch Rd. HP10: Loud 5D **28**
Brandon Rd. HP12: Book 4B **26**
Brands Hill Av. HP13: High W 4J **19**
Brawlings La. SL9: Chal P 1G **33**
Bray Ct. *HP6: Amer* *4K* **15**
                                    (off Plantation Rd.)
Brays Cl. HP6: Hyde H 1K **13**
Brays Grn. La. HP6: Hyde H 1A **14**
Brays La. HP6: Hyde H 1A **14**
Brays Mdw. HP6: Hyde H 1A **14**
Bream Cl. SL7: Mar 7C **34**
Brecon Way HP13: Down 5E **18**
Brenchwood Cl. HP13: Down 4C **18**
Brent Rd. SL8: Bour E 4C **36**
Briars, The HP11: High W 2J **27**
    HP15: Holm G 6E **12**
Briarswood HP15: Hazle 3D **20**
Briary Cotts. HP16: Gt H 3F **5**
Brickwell Wlk. HP15: Hazle 3D **20**
Bri. Bank Cl. HP11: Wyc M 4C **28**
Bridge Pl. HP6: Amer 4K **15**
Bridgestone Dr. SL8: Bour E 5D **36**
Bridge St. HP11: High W 7G **19**
Bridle Ga. HP11: High W 1F **27**
Briery Way HP6: Amer 3J **15**
Brill Cl. SL7: Mar 6C **34**
Brimmers Hill HP15: Wid E 7A **12**
Brindles La. HP9: B'fld 3J **29**
Brindley Av. HP13: Down 5F **19**
Bristow Ct. SL7: Mar 5G **35**
Britannia Ind. Pk. HP12: High W 6E **18**
Britannia Rd. HP5: Ches 2G **9**
Broadlands Av. HP5: Ches 3G **9**
Broad La. HP9: B'fld 3J **37**
    HP10: Woo G .3J **37**
Broad St. HP5: Ches 3G **9**
Broadview Rd. HP5: Ches 1F **9**
Broadway HP7: Amer 6F **15**
Broadway, The *HP5: Ches* *4F* **9**
                                    (off High St.)
    HP9: B'fld 4B **30**
    SL9: Chal P *5D* **32**
                                    (off Market Pl.)
Broadway Ct. *HP5: Ches* *4F* **9**
                                    (off High St.)
Brockhurst Rd. HP5: Ches 2G **9**
Broddick Ho. *HP11: Wyc M* *3D* **28**
                                    (off Brambleside)
Brokengate La. UB9: Den 5J **39**
Bromley La. HP6: Hyde H 7A **8**

Brookbank HP10: Woo G 5E **36**
Brooke Furmston Pl. SL7: Mar 5E **34**
Brookfield Rd. HP10: Woo G 5F **37**
Brookhouse Dr. HP10: Woo G 5E **36**
Brook St. HP11: High W 7G **19**
Broombarn La. HP16: Gt M 5A **6**
Broom Cl. HP15: Hazle 3C **20**
Broomfield Cl. HP16: Gt M 5A **6**
Broomfield Hill HP16: Gt M 5A **6**
Broomstick La. HP5: Ches 4K **9**
Broughton Bus. Pk. HP6: Lit Chal 5B **16**
Brow, The HP8: Chal G 7D **24**
Browns Rd. HP15: Holm G 7D **12**
    HP16: Hyde H .5J **7**
Brownswood Rd. HP9: B'fld 3B **30**
Brucewood Pde. SL7: Mar 3E **34**
Brunel Rd. HP13: Down 5F **19**
Brushmakers Ct. HP5: Ches 3G **9**
Brushwood Rd. HP5: Ches 2J **9**
Brushwood Dr. WD3: Chorl 1J **25**
BRYANT'S BOTTOM 1E **10**
Bryants Bottom Rd. HP16: Gt H 7E **4**
Buckingham Cl. HP13: High W 7C **20**
Buckingham Ct. HP6: Amer 3J **15**
    HP11: Wyc M .4D **28**
Buckingham Dr. HP13: High W 7B **20**
Buckingham Pde. *SL9: Chal P* *5E* **32**
                                    (off Market Pl.)
Buckingham Pl. HP13: High W 7G **19**
Buckingham Way HP10: Flack H 5C **28**
Buckmaster Rd. HP12: Book 4C **26**
Bullbaiters La. HP6: Hyde H 7K **7**
Bull La. HP11: High W 7G **19**
    SL9: Chal P, Ger X 1C **38**
Bullsland Gdns. WD3: Chorl 3H **25**
Bullsland La. WD3: Chorl 5H **25**
                                    (not continuous)
Bulstrode Ct. SL9: Ger X 3D **38**
Bulstrode Way SL9: Ger X 2D **38**
Bunn's La. HP5: Lat 7K **9**
Burdett Dr. HP14: Walt A 5B **10**
Burfield Rd. WD3: Chorl 2J **25**
Burford Cl. SL7: Mar 3C **34**
Burgess Wood Gro. HP9: B'fld 5K **29**
Burgess Wood Rd. HP9: B'fld 5K **29**
Burgess Wood Rd. Sth. HP9: B'fld 7K **29**
Burkes Cl. HP9: B'fld 5B **30**
Burkes Ct. HP9: B'fld 5B **30**
Burkes Cres. HP9: B'fld 5B **30**
Burkes Pde. HP9: B'fld 4B **30**
Burkes Rd. HP9: B'fld 7A **30**
Burma Cl. HP13: High W 1A **28**
Burnetts Cl. HP16: P'wd 7J **5**
Burnham Av. HP9: B'fld 7E **30**
Burnham Cl. HP12: High W 1D **26**
    SL8: Bour E 4C **36**
Burnham Rd. HP14: Hugh V 7G **11**
Burren, The *HP6: Amer* *3H* **15**
                                    (off Sycamore Rd.)
Burroughs Cres. SL8: Bour E 4C **36**
BURROUGHS GROVE 1F **35**
Burrows Cl. HP10: Tyl G 4E **20**
Burrows Ho. HP13: Down 5F **19**
Burton's La. HP8: Chal G 6C **16**
    WD3: Chorl 2F **25**
Burton's Way HP8: Chal G 6C **16**
Bury Farm HP7: Amer 6G **15**
Buryfield La. HP16: Gt M 5D **6**
Bury La. HP5: Ches 4F **9**
Bushey Cl. HP12: High W 7D **18**
Buslins La. HP5: Ches 1C **8**
Butler Ct. SL7: Mar 5F **35**
Butlers Cl. HP6: Amer 3E **14**
Butlers Ct. HP13: High W 2B **28**
Butlers Ct. Rd. HP9: B'fld 6B **30**
BUTLERS CROSS .1K **31**
Butterfield HP10: Woo G 4F **37**
Buttlehide WD3: Map X 2K **33**
Byron Cl. SL7: Mar 5F **35**
By-Wood End SL9: Chal P 2G **33**

C

Cairnside HP13: High W 1A **28**
Caledon Cl. HP9: B'fld 4C **30**
Caledon Rd. HP9: B'fld 4C **30**
California Circ. HP11: High W 3H **27**
Calumet HP9: B'fld 4B **30**

Calverley Cres. HP13: Down 4F 19
Cambridge Cres. HP13: High W 7A 20
Cambridge Rd. HP9: B'fld 5A 30
SL7: Mar 6D 34
Camden Pl. SL8: Bour E 5C 36
Cameron Rd. HP5: Ches 3G 9
Campbell Cl. HP13: Down 6F 19
Campbell Dr. HP9: B'fld 2A 30
Campbells Ride HP5: Holm G 6F 13
Campion Rd. HP15: Wid E 7B 12
Camp Rd. SL9: Ger X 3C 38
Candlemas La. HP9: B'fld 5C 30
Candlemas Mead HP9: B'fld 5C 30
Candlemas Oaks HP9: B'fld 5C 30
Candytoft Grn. HP15: Wid E 7B 12
Cannon Mill Av. HP5: Ches 7J 9
Canterbury Cl. HP7: Amer 5J 15
Capell Av. WD3: Chorl 2J 25
Capell Rd. WD3: Chorl 2K 25
Capell Way WD3: Chorl 2K 25
Capswood Bus. Cen. UB9: Den 5J 39
Captain Cook Cl. HP8: Chal G 1B 32
Captain's Cl. HP5: Ches 1K 9
Carisbrooke Av. HP12: Book 2B 26
Carisbrooke Ho. HP13: High W 7B 20
(off Gayhurst Rd.)
Caroline Ct. SL7: Mar 5E 34
Carpenters Wood Dr. WD3: Chorl 1H 25
Carrington Av. HP10: Flack H 7C 28
Carrington Pl. HP15: Holm G 6E 12
Carrington Rd. HP12: High W 1D 26
Carrington Way HP16: P'wd 7J 5
Carrs Dr. HP12: High W 6C 18
Carter Wlk. HP10: Tyl G 6E 20
Carver Hill Rd. HP11: High W 2F 27
Cascadia Cl. HP11: Wyc M 5D 28
Castle Est. HP12: High W 3C 26
Castle Hill HP11: High W 1G 27
Castle Pl. HP13: High W 7H 19
Castle Point HP12: High W 3C 26
Castle St. HP13: High W 7H 19
Castleton Ct. SL7: Mar 6E 34
Castle Vw. Gdns. HP12: High W 7D 18
Catkin Cl. HP12: Book 4B 26
Causeway, The SL7: Mar 6E 34
Causeway Stadium . . . . .7A 18 & 1A 26
Cavendish Ct. HP6: Amer 4G 15
(off Hill Av.)
SL7: Mar 6E 34
Cavendish Rd. HP5: Ches 5H 9
Cedar Av. HP15: Hazle 7B 12
SL1: Burn 7J 37
Cedar Cl. HP5: Ches 3J 9
Cedar Ct. HP13: High W 7H 19
SL7: Mar 6E 34
Cedar Dr. SL7: Mar 1C 34
Cedar Gro. HP7: Amer 5H 15
Cedar Ridge HP6: Hyde H 7A 8
Cedars Cl. SL9: Chal P 2E 32
Cedar Ter. HP11: High W 7F 19
Centenary Way HP6: Amer 4K 15
Central Pk. Bus. Pk. HP13: High W 6G 19
Centre Wlk. HP15: Hazle 3C 20
Cesteham Cres. HP5: Ches 2H 9
Chacombe Pl. HP9: B'fld 2B 30
Chadwick St. HP13: High W 4K 19
Chairborough Rd. HP12: High W 2D 26
Chalfont & Latimer Station (Rail & Tube)
. . . . .5D 16
Chalfont Av. HP6: Lit Chal 5D 16
CHALFONT COMMON 2F 33
Chalfont Ho. HP7: Lit Chal 6D 16
Chalfont La. WD3: Chorl 2H 25
WD3: West H 3J 33
Chalfont Leisure Cen. 5C 32
Chalfont Rd. HP8: Chal G 7H 25
HP9: Seer G 3H 31
WD3: Map X 7H 25
CHALFONTS & GERRARDS
CROSS HOSPITAL, THE 5D 32
CHALFONT ST GILES 7B 24
CHALFONT ST PETER 1E 32
Chalfont St Peter By-Pass SL9: Chal P . . .5E 32
Chalfont Sta. Rd. HP7: Lit Chal 6C 16
Chalford Flats HP10: Woo G 2G 37
Chalk Hill HP5: Ches 2F 9
HP7: Coles .4D 22
Chalklands SL8: Bour E 4C 36
Chalk La. HP6: Hyde H 2J 13

Chalkpit La. SL7: Mar 5B 34
Chalkpits Cvn. Pk.
HP10: Woo G 2G 37
Chalkstream Way HP10: Woo G 1G 37
Challener Rd. HP12: Book 4C 26
Chancellors HP7: Penn S 1K 21
Chandos Cl. HP6: Lit Chal 4C 16
Channer Dr. HP10: Tyl G 5D 20
Chapel End SL9: Chal P 6D 32
Chapel Hill HP27: Speen 1C 10
Chapel La. HP12: High W 6C 18
HP14: Nap .6C 10
Chapel Rd. HP10: Flack H 7C 28
Chapel St. HP13: Down 3D 18
SL7: Mar 6D 34
Chapman La. HP10: Flack H 3C 36
SL8: Bour E 3C 36
Chapmans Cres. HP5: Ches 2E 8
Charlotte Way SL7: Mar 6E 34
Charnwood Cl. HP13: High W 2B 28
Charter Dr. HP6: Amer 4K 15
Chartidge Ho. HP13: High W 1B 28
Chartridge La. HP5: Chart 1A 8
Chartwell Ga. HP9: B'fld 5B 30
Chase, The HP5: Ches 2F 9
HP10: Tyl G .5E 20
HP10: Woo G 4H 37
SL7: Mar 5G 35
Chase Cl. HP7: Coles 2E 22
Cheena Ho. SL9: Chal P 4F 33
CHENIES 4H 17
Chenies Av. HP6: Lit Chal 5C 16
CHENIES BOTTOM 3G 17
Chenies Manor House 4G 17
Chenies Pde. HP7: Lit Chal 6C 16
Chenies Rd. WD3: Chorl 6K 17
Chepping Cl. HP10: Tyl G 5C 20
Chequers Dr. HP16: P'wd 6J 5
Chequers Hill HP7: Amer 6H 15
Chequers La. HP16: P'wd 4K 5
Cherry Acre SL9: Chal P 1D 32
Cherry Cl. HP10: Flack H 1D 36
HP16: P'wd .6K 5
Cherry Cnr. HP10: Flack H 7D 28
Cherrycroft Dr. HP14: Nap 7D 10
Cherry Dr. HP9: B'fld 3K 29
Cherry Gth. HP15: Holm G 7E 12
Cherry Gro. HP15: Holm G 7E 12
Cherry La. HP7: Amer 1A 22
Cherry Orchard HP6: Amer 3J 15
HP16: P'wd .6J 5
Cherry Pit, The HP13: Down 4E 18
Cherry Ri. HP8: Chal G 6D 24
HP10: Flack H 1D 36
Cherry St. HP13: High W 3C 28
Cherry Tree Cl. HP14: Hugh V 6G 11
HP15: Gt K .4K 11
HP27: Speen .7B 4
Cherry Tree Cnr. HP9: Jord 3J 31
Cherry Tree La. WD3: Heron 5J 25
Cherrytree La. SL9: Chal P 6D 32
Cherry Tree Rd. HP9: B'fld 6J 29
Cherry Tree Wlk. HP5: Ches 2H 9
Cherry Tree Way HP10: Tyl G 5E 20
Cherry Way HP15: Hazle 7C 12
Cherrywood Cl. HP9: Seer G 2H 31
Cherrywood Gdns. HP10: Flack H 7C 28
Cherwell Rd. SL8: Bour E 4D 36
CHESHAM 3G 9
CHESHAM BOIS 2H 15
Chesham Bois Lawn Tennis & Squash Club
. . . . .2E 14
CHESHAM HOSPITAL 5G 9
Chesham La. HP8: Chal G 1E 32
SL9: Chal P .1E 32
Chesham Leisure Cen. 4H 9
Chesham Rd. HP5: Ches 5E 6
HP6: Amer .3G 15
HP16: Gt M .5E 6
Chesham Station (Rail) 4G 9
Chessbury Cl. HP5: Ches 5F 9
Chessbury Rd. HP5: Ches 5F 9
Chess Cl. HP5: Lat 2D 16
Chessfield Pk. HP6: Lit Chal 5E 16
CHESSMOUNT .6H 9
Chessmount Ri. HP5: Ches 6H 9
Chess Valley Sports & Leisure Cen. 6G 9
Chesterton Cl. HP5: Ches 2F 9
Chesterton Grn. HP9: B'fld 4C 30

Chestnut Av. HP5: Ches 2J 9
HP11: High W 2K 27
Chestnut Cl. HP6: Amer 3H 15
(not continuous)
SL9: Chal P .5F 33
Chestnut La. HP6: Amer 2H 15
HP15: Hazle 1D 20
Chestnut Rd. HP9: B'fld 6K 29
Chestnut Wlk. SL9: Chal P 4E 32
Cheviot Cl. HP13: Down 5E 18
Cheyne Cl. HP6: Amer 1H 15
SL9: Ger X .5E 38
Cheyne Wlk. HP5: Ches 4H 9
Chichester Cl. HP13: High W 1K 27
Chichester Row HP6: Amer 4H 15
Chilcote La. HP7: Lit Chal 5B 16
Chiltern Av. HP6: Amer 4G 15
HP12: High W 2D 26
CHILTERN BMI HOSPITAL, THE 1E 12
Chiltern Bus. Cen. HP6: Amer 3H 15
Chiltern Commerce Cen. HP5: Ches 2E 8
(off Asheridge Rd.)
Chiltern Cl. HP5: Ches 2E 8
HP6: Amer .3G 15
HP12: High W 7E 18
Chiltern Grn. HP10: Flack H 7C 28
Chiltern Hgts. HP7: Lit Chal 5A 16
HP11: High W 1G 27
Chiltern Hill SL9: Chal P 5E 32
Chiltern Hills Rd. HP9: B'fld 5A 30
Chiltern Mnr. Pk. HP16: Gt M 5B 6
Chiltern Open Air Mus. 5F 25
Chiltern Pde. HP6: Amer 3G 15
Chiltern Pools, The 4H 15
Chiltern Rd. HP6: Amer 1F 15
HP16: Ball 1G 7
SL7: Mar 6C 34
Chiltern Rugby Club 2E 14
Chilterns, The HP13: High W 7G 19
Chilterns Cl. HP10: Flack H 1D 36
Chilterns Crematorium HP7: Amer 7D 14
Chilterns Pk. SL8: Bour E 3D 36
Chilton Cl. HP10: Tyl G 4E 20
HP15: Holm G 6E 12
Chilton Rd. HP5: Ches 2G 9
Chimes, The HP12: High W 1E 26
Chimney La. HP10: Woo G 7G 29
Chippendale Cl. HP13: High W 5K 19
Chipstead SL9: Chal P 5C 32
CHORLEYWOOD 2K 25
CHORLEYWOOD BOTTOM 2K 25
Chorleywood Bottom WD3: Chorl 2K 25
Chorleywood Ho. Dr. WD3: Chorl 7K 17
Chorleywood Station (Rail & Tube) 1K 25
CHORLEYWOOD WEST 1H 25
Christopher Cl. HP14: Nap 6D 10
Churchfield Rd. SL9: Chal P 5D 32
Church Gro. HP6: Lit Chal 5E 16
Churchill Cl. HP10: Flack H 1D 36
Churchill Dr. HP9: B'fld 2A 30
SL7: Mar 4F 35
Church La. HP14: Nap 7E 10
HP14: West W 4A 18
HP15: Cry H 2H 19
HP16: Gt M .5D 6
SL9: Chal P .5D 32
Church Path HP16: P'wd 7K 5
Church Rd. HP9: Seer G 3H 31
HP10: Penn .7F 21
HP10: Tyl G .6E 20
SL7: Lit Mar .3J 35
SL8: Bour E 7F 37
Churchside HP15: Holm G 6F 13
Church Sq. HP11: High W 7H 19
Church St. HP5: Ches 5F 9
HP7: Amer .6F 15
HP11: High W 7G 19
HP16: Gt M .5D 6
Chyne, The SL9: Ger X 2F 39
Clappins La. HP14: Nap 5C 10
Clapton App. HP10: Woo G 7F 29
Claredon Rd. HP6: Amer 6H 5
Claremont Gdns. SL7: Mar 6E 34
Claremont Rd. SL7: Mar 6E 34
Clarendon Rd. HP13: High W 1A 28
Clare Pk. HP7: Amer 6J 15
Clare Rd. HP16: P'wd 6J 5
Clarke Dr. HP13: High W 2C 28
Clauds Cl. HP15: Hazle 1C 20

Clay Acre—Denmark St.

Clay Acre HP5: Ches ...3H 9
Clay Cl. HP10: Flack H ...7D 28
Claydon Ct. HP12: High W ...3E 26
Claydon End SL9: Chal P ...7E 32
Claydon La. SL9: Chal P ...7E 32
Clayfields HP10: Tyl G ...4E 20
Clayhill SL7: Book ...5A 26
Clay La. SL7: Book ...6A 26
Claymoor Pk. SL7: Book ...5A 26
Clay St. HP7: B'fld ...7A 22
HP9: B'fld ...7A 22
Claytons Mdw. SL8: Bour E ...6D 36
Clayton Wlk. HP7: Lit Chal ...5C 16
Clearbrook Cl.
HP13: High W ...3D 28
Cleland Rd. SL9: Chal P ...6D 32
Clementi Av. HP15: Holm G ...6F 13
Clement's Rd. WD3: Chorl ...2K 25
Cleveland Cl. HP10: Woo G ...7G 29
Cliffords Way SL8: Bour E ...3C 36
Clifton Ct. HP11: High W ...3E 26
Clifton Lawns HP6: Amer ...1G 15
Clifton Rd. HP6: Amer ...1F 15
Climb, The ...*4H 15*
(in The Chiltern Pools)
Clivedon Office Village
HP12: High W ...3E 26
Clockhouse M. WD3: Chorl ...7K 17
Cloisters, The HP13: High W ...4K 19
Close, The SL7: Mar ...6B 34
SL8: Bour E ...2C 36
Coach Ride SL7: Mar ...4D 34
Coates La. HP13: Down, High W ...3E 18
Coat Wicks HP9: Seer G ...3G 31
Cobblers Ct. HP5: Ches ...2H 9
COBBLERSHILL ...1J 5
Cobblershill La. HP16: Lit Ham ...2G 5
Cock La. HP10: Tyl G ...2B 28
HP13: High W ...2B 28
Cockpit Cl. HP15: Gt K ...5A 12
Cockpit Rd. HP15: Gt K ...5K 11
CODMORE ...3J 9
Codmore Cres. HP5: Ches ...3J 9
Codmore Cross HP5: Ches ...3H 9
Coke's Farm La. HP8: Chal G ...7B 16
Coke's La. HP8: Chal G ...1A 24
Colburne Rd. HP13: High W ...6K 19
Coldmoorholme La. SL8: Bour E ...5A 36
Coleheath Bottom HP27: Speen ...7C 4
COLESHILL ...3D 22
Coleshill La. HP7: Winch H ...4A 22
Colley Hill La. SL2: Hedge ...7A 38
Colleyland WD3: Chorl ...1K 25
Collings Wlk. *HP16: P'wd* ...*7J 5*
(off Lodge La.)
Collingwood Cl. HP13: High W ...1C 28
Collins Ho *HP11: High W* ...*7G 19*
(off Desborough Rd.)
Collum Grn. Rd. SL2: Sto P, Hedge ...7A 38
Colne Rd. HP13: High W ...7B 20
Columbine Rd. HP15: Wid E ...7B 12
Colville Ct. *HP16: Gt M* ...*5D 6*
(off High St.)
Colville Rd. HP11: High W ...1E 26
Combe Ri. HP12: High W ...7B 18
Commercial Sq. HP11: High W ...7F 19
Common, The HP7: Winch H ...3A 22
(not continuous)
HP10: Flack H ...7D 28
HP15: Gt K ...4K 11
HP15: Holm G ...6F 13
Common Ga. Rd. WD3: Chorl ...2K 25
Common Rd. HP10: Flack H ...7C 28
HP15: Gt K ...4K 11
WD3: Chorl ...1K 25
Commonside HP13: Down ...3D 18
Common Wood La. HP10: Tyl G ...5F 21
Conegra Ct. HP13: High W ...7H 19
Conegra Rd. HP13: High W ...7J 19
Conifer Ri. HP12: High W ...1E 26
Coningsby Rd. HP13: High W ...6H 19
Coniston Cl. SL7: Mar ...6B 34
Conway Cl. HP10: Loud ...5E 28
Conway Ct. SL9: Ger X ...5H 39
Cookham Ct. *HP6: Amer* ...*4K 15*
(off Plantation Rd.)
Cooks Cl. SL9: Chal P ...3E 32
Cookshall La. HP12: High W ...4A 18
Coombe Gdns. HP14: Hugh V ...7G 11
Coombe La. HP14: Hugh V, Nap ...7E 10
Coombe Va. SL9: Ger X ...5E 38
Copes Rd. HP15: Gt K ...4A 12
Copes Shroves HP15: Hazle ...1B 20
Copmans Wick WD3: Chorl ...2K 25
Copners Dr. HP15: Holm G ...7E 12
Copners Way HP15: Holm G ...7D 12
Copperfields HP9: B'fld ...2C 30
HP12: High W ...5B 18
Copperkins Gro. HP6: Amer ...2F 15
Copperkins La. HP6: Amer ...1D 14
Copper Ridge SL9: Chal P ...2F 33
Coppice, The HP9: Seer G ...3H 31
HP12: Book ...3B 26
HP14: Walt A ...5B 10
HP15: Gt K ...4A 12
Coppice Farm Rd.
HP10: Tyl G ...4E 20
Copse, The HP7: Amer ...4G 15
HP9: B'fld ...3A 30
Copse Cl. SL7: Mar ...6C 34
Copse La. HP9: Jord ...4J 31
Copse Way HP5: Ches ...1K 9
Copthall Cl. SL9: Chal P ...4F 33
Copthall Cnr. SL9: Chal P ...4E 32
Copthall La. SL9: Chal P ...4E 32
Copyground Ct. HP12: High W ...7E 18
Copyground La. HP12: High W ...7D 18
Cordons Cl. SL9: Chal P ...5D 32
CORES END ...5E 36
Cores End Rd. SL8: Bour E ...5D 36
Corinium Ind. Est. HP6: Amer ...4K 15
Cornel Cl. HP15: Hazle ...3D 20
Cornerways HP27: Speen ...7C 4
Coronation Rd. HP12: High W ...3D 26
Corporation St. HP13: High W ...1H 27
Cotswold Ct. HP11: High W ...6F 19
Cotswold Way HP13: Down ...5E 18
Cott. Farm Way HP27: Speen ...1C 10
Coulson Ct. HP16: P'wd ...6K 5
Country La. HP15: Gt K ...4B 12
Court Cl. HP13: Down ...5D 18
Court Garden Leisure Cen. ...7D 34
Court Lawns HP10: Tyl G ...5E 20
Courtyard Cl. HP6: Amer ...4G 15
Courtyard Ho. HP11: High W ...7F 19
Cowley Cotts. HP7: Winch H ...3A 22
Cowslip Rd. HP15: Wid E ...7B 12
Crabbe Cres. HP5: Ches ...2H 9
Crabtree Cl. HP9: B'fld ...6K 29
Cragleith Ct. HP9: B'fld ...5B 30
Crendon St. HP13: High W ...1H 27
Crescent, The HP13: High W ...6A 20
CRESSEX ...3D 26
Cressex Bus. Pk. HP12: High W ...2E 26
Cressex Ent. Cen. HP12: High W ...1E 26
Cressex Rd. HP12: Book, High W ...4A 26
Cressex School Sports Cen. ...4C 26
Cressington Ct. SL8: Bour E ...4C 36
Cressington Pl. SL8: Bour E ...4C 36
Cresswell Rd. HP5: Ches ...7H 9
Cresswell Way HP15: Holm G ...6F 13
Crest, The HP9: B'fld ...5J 29
Crest Rd. HP11: High W ...4D 26
Crispin Cl. HP9: B'fld ...3A 30
Crispin Way HP11: High W ...3G 27
Criss Gro. SL9: Chal P ...6C 32
Croft, The HP6: Amer ...3J 15
SL7: Mar ...5G 35
Croft Rd. SL9: Chal P ...6D 32
Croftwood HP13: High W ...7B 20
Crompton Hall SL9: Ger X ...2F 39
Cromwell Cl. HP8: Chal G ...7C 24
Cromwell Gdns. SL7: Mar ...6E 34
Cromwell Ho. *HP5: Ches* ...*3F 9*
(off Townsend Rd.)
Cromwell Rd. HP13: High W ...2A 28
SL7: Mar ...6E 34
Crosby Cl. HP9: B'fld ...7D 30
Cross Ct. HP13: Down ...4D 18
Cross La. HP9: B'fld ...7D 30
Cross Lanes SL9: Chal P ...2E 32
Cross Lanes Cl. SL9: Chal P ...2F 33
Crossleys HP8: Chal G ...7C 24
Crossley's Hill HP8: Chal G ...7C 24
Cross Mdw. HP5: Ches ...2D 8
Cross Rd. HP12: High W ...1C 26
Crossways HP9: B'fld ...6D 30
Crown Bus. Est. HP5: Ches ...3G 9
Crown La. HP10: Penn ...7H 21
HP11: High W ...1H 27
SL7: Mar ...6D 34
Crown Rd. SL7: Mar ...6D 34
Crutches La. HP9: Jord ...3J 31
CRYERS HILL ...7K 11
Cryers Hill La. HP15: Cry H ...7K 11
Cryers Hill Rd. HP15: Cry H ...1H 19
Cudsdens Ct. HP16: Gt M ...5F 7
Cullyn Rd. HP12: Book ...4C 26
Culvert Cft. HP9: Seer G ...3G 31
Cumberland Cl. HP7: Lit Chal ...5B 16
Cumbrian Way HP13: Down ...5E 18
Curlew Cl. HP13: Down ...4C 18
Curzon Av. HP9: B'fld ...3B 30
HP15: Hazle ...4E 20
Curzon Cl. HP15: Hazle ...4E 20
Cutlers Ct. *HP12: High W* ...*7E 18*
(off Copyground La.)
Cypress Wlk. *HP15: Hazle* ...*3D 20*
(off Elder Way)

D

Dairymede HP27: Speen ...1C 10
Dale Side SL9: Ger X ...5E 38
Dandridge Dr. SL8: Bour E ...5E 36
Dane Cl. HP7: Amer ...7K 15
Darlington Cl. HP6: Amer ...4H 15
Darsham Wlk. *HP5: Ches* ...*4F 9*
(off High St.)
Darvell Dr. HP5: Ches ...2E 8
DARVILLSHILL ...1A 10
Darvills Mdw. HP15: Holm G ...6E 12
Dashwood Av. HP12: High W ...6C 18
Dashwood Works Ind. Est. *HP12: High W* ...*6D 18*
(off Fryers La.)
Davenport Rd. HP12: Book ...4C 26
David Bishop Ct. *HP5: Ches* ...*7H 9*
(off Woodley Hill)
Davidge Pl. *HP8: Chal G* ...*7B 24*
(off Milton Flds.)
HP9: B'fld ...2A 30
Davies Ct. HP12: High W ...2D 26
Davies Way HP10: Loud ...6E 28
Davis Cl. SL7: Mar ...7E 34
Dawes Cl. HP5: Ches ...5F 9
Daws Hill La. HP11: High W ...3G 27
Daws Lea HP11: High W ...4G 27
Deacon Cl. HP12: Book ...3B 26
Deadhearn La. HP8: Chal G ...5E 24
Deanacre Cl. SL9: Chal P ...3E 32
Dean Cl. HP12: High W ...1E 26
Deancroft Rd. SL9: Chal P ...3E 32
Deanfield Cl. SL7: Mar ...5D 34
Deangarden Ri. HP11: High W ...3A 28
Deans Cl. HP6: Amer ...3K 15
Dean St. SL7: Mar ...6D 34
Deansway HP5: Ches ...2E 8
Dean Way HP8: Chal G ...7A 24
HP15: Holm G ...7D 12
Dean Wood Rd. HP9: Jord ...4H 31
Dearmer Ho. *SL9: Chal P* ...*2E 32*
(off Micholls Av.)
DEBENHAM HOUSE ...1E 32
Dedmere Ct. SL7: Mar ...6F 35
Dedmere Ri. SL7: Mar ...6E 34
Dedmere Rd. SL7: Mar ...6E 34
Deeds Gro. HP12: High W ...7E 18
Deep Acres HP6: Amer ...2E 14
Deep Mill La. HP16: Lit King ...2F 13
Deermead HP16: Lit King ...1D 12
Deer Pk. Wlk. HP5: Ches ...1J 9
De Havilland Dr. HP15: Hazle ...4A 20
Dell, The HP10: Tyl G ...5E 20
SL9: Chal P ...3E 32
Dell Fld. HP16: P'wd ...7K 5
Dellfield HP5: Ches ...2E 8
Dell Lees HP9: Seer G ...3G 31
Dell Orchard HP7: Winch H ...4A 22
Delmeade Rd. HP5: Ches ...5E 8
Denewood HP13: High W ...6A 20
DENHAM AERODROME ...2K 39
Denham Golf Club Station (Rail) ...4K 39
Denham La. SL9: Chal P ...3F 33
Denham Wlk. SL9: Chal P ...3F 33
Denham Way WD3: Map X, West H ...3K 33
Denmark St. HP11: High W ...7G 19

44 A-Z High Wycombe

Denmead Cl. SL9: Ger X 4E 38
Denton Ct. SL7: Mar 5F 35
De Pirenore HP15: Hazle 4A 20
Derehams Av. HP10: Loud 4E 28
Derehams La. HP10: Loud 5E 28
Derwent Cl. HP7: Lit Chal 5B 16
Desborough Av. HP11: High W 3E 26
Desborough Ho. HP13: High W 7H 19
Desborough Ind. Pk. HP12: Book 6C 18
Desborough Pk. Rd. HP12: High W 7E 18
Desborough Rd. HP11: High W 7F 19
Desborough St. HP11: High W 6E 18
De Vere Leisure Club 7J 31
Devonshire Av. HP6: Amer 3F 15
Devonshire Cl. HP6: Amer 3G 15
DIBDEN HILL .1C 32
Dilwyn Ct. HP12: High W 7E 18
Disraeli Cres. HP13: Down 5F 19
Disraeli Pk. HP9: B'fld 3B 30
Dodds La. HP8: Chal G 6A 24
Doggetts Farm Rd. UB9: Den 4J 39
Doggetts Wood La. HP8: Chal G 7B 16
Dolphin Ct. HP11: Wyc M 4C 28
Donkey La. SL8: Bour E 5C 36
Donnay Cl. SL9: Ger X 3D 38
DOOLITTLE VILLAGE 3H 27
Dormer La. HP15: Gt K 6D 12
Dorney End HP5: Ches 3E 8
Douglas Ct. SL7: Mar 5G 35
Dovecot Rd. HP13: High W 7G 19
                            (not continuous)
Dove Ct. HP9: B'fld 4B 30
Dovehouse Path HP11: High W 7G 19
Dove Pk. WD3: Chorl 3H 25
Dovetail Cl. HP12: High W 6D 18
Dower Cl. HP9: B'fld 2A 30
Downings Wood WD3: Map X 2K 33
DOWNLEY 4D 18
DOWNLEY COMMON 2E 18
Downley Rd. HP14: Nap 7D 10
Downs Pk. HP13: Down 5E 18
Drake's Rd. HP7: Amer 5J 15
Draymans La. SL7: Mar 7D 34
Dresser Rd. HP16: P'wd 7J 5
Drews Rd. HP9: B'fld 1A 30
Drey, The SL9: Chal P 2E 32
Drive, The HP7: Amer 4H 15
     SL8: Bour E 4B 36
     SL9: Chal P 4E 32
Drovers Way HP9: Seer G 3G 31
Drydell La. HP5: Ches 3C 8
Dsahfield Gro. HP15: Wid E 7A 12
Dukes Cl. SL9: Ger X 5D 38
Dukes Kiln Dr. SL9: Ger X 5C 38
Dukes La. SL9: Ger X 4E 38
Dukes Mdw. Ind. Est. SL8: Bour E 5D 36
Dukes Pl. SL7: Mar 6D 34
Dukes Ride SL9: Ger X 5E 38
Dukes Valley SL9: Ger X 6B 38
Dukes Wood Av. SL9: Ger X 4E 38
Dukes Wood Dr. SL9: Ger X 5C 38
Dumbletons, The WD3: Map X 1K 33
Duncombe Cl. HP6: Amer 4J 15
Dunkeld Ho. HP13: High W 3D 28
Dunwood Ri. HP13: High W 5H 19
Dupre Cres. HP9: B'fld 6F 31
Du Pre Wlk. HP10: Woo G 4F 37
Durley Hollow HP13: High W 5H 19
Durrants Path HP5: Ches 1K 9

E

Eagle Cl. HP6: Amer 3K 15
Earl Cl. HP13: Down 5G 19
Earl Howe Rd. HP15: Holm G 6E 12
East Comn. SL9: Ger X 3E 38
East Dr. HP13: High W 6A 20
Eastergate HP9: B'fld 3A 30
Eastern Dene HP15: Hazle 1C 20
Eastern Dr. SL8: Bour E 4E 36
Easton St. HP11: High W 1H 27
Easton Ter. HP13: High W 1J 27
E. Richardson St.
     HP11: High W 7F 19
Eastrid Ga. SL8: Bour E 4D 36
East St. HP5: Ches 5F 9
East Way HP9: B'fld 6J 29

Eastwood Ct. SL7: Mar 5F 35
                            (off Wiltshire Rd.)
Eaton Av. HP12: High W 6D 18
Eaton Pl. HP12: High W 6D 18
Edgar Wallace Pl. SL8: Bour E 3D 36
Edinburgh Rd. SL7: Mar 5E 34
Edith Bell Ho. SL9: Chal P 3E 32
Edmund Ct. HP9: B'fld 7J 29
Edmunds Cl. HP12: Book 2C 26
Edmunds Gdns. HP12: Book 2C 26
Edwin Allman Pl. HP15: Hazle 4A 20
                            (off Beechlands)
Eghams Cl. HP9: B'fld 3A 30
Eghams Grn. SL8: Bour E 5D 36
Eghams Wood Rd. HP9: B'fld 3A 30
Elder Cl. HP13: High W 4D 28
Elder Way HP15: Hazle 3C 20
Eleanor Ho. SL9: Chal P 2E 32
                            (off Micholls Av.)
Eleanor Rd. SL9: Chal P 5C 32
Elgiva, The 4F 9
Elgiva La. HP5: Ches 4F 9
Eliot Dr. SL7: Mar 4F 35
Elizabeth Av. HP6: Lit Chal 5B 16
Elizabeth Ct. HP13: High W 1J 27
Elizabeth Rd. SL7: Mar 4F 35
Elliott Ho. HP11: High W 6F 19
                            (off Shaftesbury St.)
Ellis Av. SL9: Chal P 5F 33
Ellsworth Rd. HP11: High W 3F 27
Ellwood Ri. HP8: Chal G 6C 24
Ellwood Rd. HP9: B'fld 6K 29
Elm Cl. HP6: Amer 4G 15
     HP15: Hazle 3C 20
Elmhurst Cl. HP13: High W 5K 19
Elm La. SL8: Bour E 3B 36
Elm Rd. HP10: Tyl G 5F 21
     HP12: Book 3C 26
Elms Dr. SL8: Bour E 5D 36
Elmshott Cl. HP10: Tyl G 5C 20
Elms Rd. SL9: Chal P 4E 32
Elmtree Ct. HP16: Gt M 4C 6
Elmtree Gdns. HP16: Gt M 4C 6
Elm Tree Hill HP5: Ches 3F 9
Elmtrees Cvn. Site SL7: Lit Mar 3H 35
Elmwood Pk. SL9: Ger X 5E 38
Elora Rd. HP13: High W 7K 19
Ely Cl. HP7: Amer 5J 15
Eskdale Av. HP5: Ches 3G 9
Eskdale Lodge HP6: Amer 3G 15
Essex Rd. HP5: Ches 2G 9
Estcourt Dr. HP15: Wid E 7B 12
Ethorpe Cl. SL9: Ger X 2E 38
Ethorpe Cres. SL9: Ger X 2E 38
Ethorpe Ho. SL9: Ger X 2E 38
Eton Pl. SL7: Mar 6D 34
Eunice Gro. HP5: Ches 6H 9
Evenlode Rd. SL8: Bour E 4D 36
Everest Cl. HP13: High W 1K 27
Everest Rd. HP13: High W 1A 28

F

Factory Yd. HP9: B'fld 6C 30
Fagnall La. HP7: Winch H 4A 22
Fairacre HP16: P'wd 7J 5
Fairfax M. HP7: Amer 6F 15
Fairfield Cl. SL8: Bour E 3B 36
Fairfields HP15: Gt K 4A 12
Fairhaven SL9: Chal P 5C 32
Fairlawns HP13: High W 5J 19
Fair Leas HP5: Ches 2E 8
Fair Ridge HP11: High W 3F 27
Fair Vw. Cotts. SL9: Chal P 4E 32
                            (off Gravel Hill)
Fairview Ind. Est. HP6: Amer 4K 15
Fairview La. HP10: Flack H 6C 28
Fairway, The HP10: Flack H 1E 36
Faithorn Cl. HP5: Ches 3E 8
Falcon Ri. HP13: Down 5C 18
Falcons Cft. HP10: Woo G 7G 29
Fallow Fld. HP15: Hazle 3D 20
Farm Cl. HP6: Lit Chal 5D 16
     HP13: High W 7C 20
Farm Cl. Gro. HP9: B'fld 2A 30
Farmers Way HP9: Seer G 3G 31
Farm La. HP9: Jord 4H 31
Farm Lea HP10: Woo G 1H 37

Farm Rd. SL8: Bour E 4B 36
     WD3: Chorl 1G 25
Farndale Gdns. HP15: Hazle 7C 12
Farthings HP8: Chal G 7D 16
Farthings, The HP6: Amer 2H 15
Fassetts Rd. HP10: Loud 5D 28
Faulkner Way HP13: Down 3D 18
Featherbed La. HP15: Holm G 4F 13
     HP16: Lit King 3E 12
Fennels Farm Rd. HP10: Flack H 6C 28
Fennels Rd. HP11: Wyc M 3C 28
Fennels Way HP10: Flack H 5C 28
Fennings, The HP6: Amer 2H 15
FERN 3A 36
Fernhurst Cl. HP9: B'fld 5C 30
Ferniefields HP12: Book 3B 26
Fern La. SL7: Lit Mar 3A 36
Fernlea Cl. HP10: Flack H 6C 28
Ferns, The HP9: B'fld 6D 30
Fernside HP15: Gt K 4A 12
Fernsleigh Cl. SL9: Chal P 3E 32
Fern Wlk. HP15: Hazle 3D 20
Ferryfield HP13: High W 1K 27
Ferry La. SL8: Bour E 7D 36
                            (not continuous)
Field Cl. HP5: Ches 1J 9
Fieldhead Gdns. SL8: Bour E 5C 36
Fieldhouse Ind. Est. SL7: Mar 6F 35
Fieldhouse La. SL7: Mar 6F 35
Fieldhouse Way SL7: Mar 6F 35
Field Rd. HP12: Book 2B 26
     UB9: Den 7K 39
Field Way SL9: Chal P 4D 32
Fieldway HP7: Amer 7F 15
Fifth St. HP11: High W 3H 27
Filmworks Cinema, The 4E 26
Finch End HP10: Tyl G 6E 20
Finch La. HP7: Amer, Lit Chal 1K 23
     HP9: B'fld 2A 30
Firs Cl. HP13: High W 6A 20
     HP15: Hazle 4D 20
Firs Ct. HP6: Amer 3G 15
                            (off Chesham Rd.)
Firs End SL9: Chal P 7E 32
Firs Ri. HP16: Gt M 5A 6
First Av. HP7: Amer 6G 15
     SL7: Mar .6G 35
First St. HP11: High W 4H 27
Firs Vw. Rd. HP15: Hazle 4D 20
Firs Wlk. HP15: Hazle 4D 20
Fir Tree Bungs. HP14: Walt A 5B 10
Firview Cl. SL7: Mar 7F 35
Fishermans Retreat SL7: Mar 7E 34
Fisherman's Way SL8: Bour E 4D 36
Five Acres HP5: Ches 6H 9
     HP10: Woo G 1H 37
Five Acre Wood HP12: Book 1C 26
FLACKWELL HEATH 7D 28
Flats, The HP8: Chal G 2D 24
Flaunden Bottom HP5: Lat 2E 16
Fleet Cl. HP14: Hugh V 6F 11
Fleetwood Cl. HP8: Chal G 1A 32
Fleming Way HP12: High W 2D 26
Flint Way HP16: P'wd 5J 5
Flitcroft Lea HP13: Down 6G 19
Florida St. HP11: High W 3J 27
FLOWERS BOTTOM 1B 10
Flowers Bottom La. HP27: Speen 2A 10
Foley Cl. HP9: B'fld 3A 30
Ford Cl. HP11: Wyc M 3B 28
Ford Way HP13: Down 3E 18
Forelands Way HP5: Ches 5G 9
Forest Point HP13: High W 2B 28
Forest Way HP13: High W 6C 20
Forge Cl. HP15: Holm G 7E 12
Forge End HP7: Amer 6F 15
Forge Rd. HP14: Nap 5C 10
FORTY GREEN 3K 29
Forty Grn. Dr. SL7: Mar 6B 34
Forty Green Rd. HP9: B'fld 3K 29
FOUR ASHES 2J 19
Four Ashes Rd. HP15: Cry H 1J 19
Four Oaks HP5: Ches 1K 9
Fourth Av. SL7: Mar 6G 35
Fourth St. HP11: High W 3H 27
Foxdell Way SL9: Chal P 2E 32
Foxes Piece SL7: Mar 6E 34
Foxhill Ct. HP13: High W 5H 19
Fox La. HP15: Holm G 7D 12

Foxleigh—Gweneth Ct.

Foxleigh HP11: High W 3F **27**
Fox Rd. HP15: Holm G 7D **12**
Frances St. HP5: Ches 2G **9**
Franchise St. HP5: Ches 3G **9**
Francis Cotts. HP5: Ches 4G **9**
Francis Yd. *HP5: Ches 4G 9*
(off East St.)
Franklin Ct. HP7: Amer 4G **15**
Frank Lunnon Cl. SL8: Bour E 5E **36**
Fraser Rd. HP12: Book 2C **26**
Frederick Pl. HP11: Wyc M 4D **28**
Freeman Ct. HP5: Ches 3G **9**
Fremantle Rd. HP13: High W 4K **19**
Friars Gdns. HP14: Hugh V 6G **11**
Friars Wlk. *HP16: P'wd 7K 5*
(off Fair Acres)
Frieth Rd. SL7: Mar 5A **34**
FRITH-HILL 5E **6**
Frith Hill HP16: Gt M 5D **6**
Froggy La. UB9: Den 7K **39**
Frogmoor HP13: High W 7G **19**
Frogmore Cl. HP14: Hugh V 6G **11**
Fromer Rd. HP10: Woo G 4F **37**
Fryer Cl. HP5: Ches 6H **9**
Fryers Ct. HP12: High W 6D **18**
Fryers La. HP12: High W 6D **18**
(not continuous)
Fuller's Cl. HP5: Ches 5F **9**
Fuller's Hill HP5: Ches 6E **8**
HP6: Hyde H 7D **8**
Full Moon Cotts. HP16: Lit King 2C **12**
FULMER 7D **38**
Fulmer Cnr. SL9: Ger X 5H **39**
Fulmer Dr. SL9: Ger X 6D **38**
Fulmer La. SL3: Fulm 7F **39**
SL9: Ger X 7F **39**
Fulmer Pl. SL3: Fulm 7E **38**
Fulmer Rd. SL3: Fulm 7E **38**
SL9: Ger X 4E **38**
Fulmer Way SL9: Ger X 3E **38**
Fulton Cl. HP13: Down 6G **19**
Furlong Cl. SL8: Bour E 5D **36**
Furlong Rd. SL8: Bour E 5D **36**
Furzefield Rd. HP9: B'fld 5A **30**
Furze Vw. WD3: Chorl 3J **25**

G

Gables Cl. SL9: Chal P 1E **32**
Gables Mdw. HP15: Holm G 7E **12**
Gadwell Ho. HP9: B'fld 5K **29**
Galleons HP7: Amer 4G **15**
Gallows La. HP12: High W 6C **18**
Gandon Va. HP13: Down 6G **19**
Garden End HP6: Amer 3J **15**
Gardener Wlk. HP15: Holm G 7E **12**
Garden Reach HP8: Chal G 7D **16**
Gardner Cl. HP15: Gt K 4K **11**
Garners Cl. SL9: Chal P 3F **33**
Garners End SL9: Chal P 3E **32**
Garners Rd. SL9: Chal P 3E **32**
Garnet Ct. SL7: Mar 7C **34**
Garratts Way HP13: Down 6F **19**
Garrett Cl. HP5: Ches 6G **9**
Garson Gro. HP5: Ches 2E **8**
Garth, The HP16: Gt M 4C **6**
Garvin Av. HP9: B'fld 4C **30**
Gaviots Cl. SL9: Ger X 5F **39**
Gaviots Grn. SL9: Ger X 4E **38**
(not continuous)
Gaviots Way SL9: Ger X 4E **38**
Gawdrey Cl. HP5: Ches 6H **9**
Gayhurst Rd. HP13: High W 7B **20**
Gayton Cl. HP6: Amer 1J **15**
George Cl. SL7: Mar 4F **35**
Georges Dr. HP10: Flack H 1E **36**
George's Hill HP15: Wid E 7B **12**
George St. HP5: Ches 3G **9**
HP11: High W 7F **19**
Geralds Ct. *HP13: High W 5K 19*
(off Geralds Rd.)
Geralds Rd. HP13: High W 5K **19**
Germains Cl. HP5: Ches 5F **9**
Germains St. HP5: Ches 5F **9**
GERRARDS CROSS 2E **38**
Gerrards Cross Golf Course 7F **33**
Gerrards Cross Station (Rail) 2E **38**
Gibbs Cl. HP13: Down 6F **19**
Gibbs Ho. HP11: Wyc M 4C **28**
Gibraltar La. SL6: Cook 7H **35**
Gibson Rd. HP12: Book 4B **26**
Gilbert Ho. HP11: High W 7E **18**
Gilbert Scott Ct. HP7: Amer 6E **14**
Gilby Wlk. HP10: Woo G 4F **37**
Giles Ga. HP16: P'wd 6H **5**
Gilletts La. HP12: High W 5C **18**
Gillfield Cl. HP11: High W 4E **26**
Glade, The HP10: Tyl G 5E **20**
SL9: Ger X 5D **38**
Glade Rd. SL7: Mar 6E **34**
Glade Vw. HP12: Book 4A **26**
Gladstone Ri. HP13: High W 1B **28**
Gladstone Rd. HP5: Ches 4G **9**
Glebe, The HP14: Nap 7D **10**
HP16: P'wd 5H **5**
Glebe Cl. HP15: Holm G 6D **12**
SL9: Chal P 4D **32**
Glebe Cotts. *HP5: Ches 5F 9*
(off Germain St.)
Glebe Ho. *SL9: Chal P 4D 32*
(off Glebe Cl.)
Glebelands HP10: Tyl G 6E **20**
Glebelands Cl. HP16: P'wd 1A **12**
Glebe Rd. SL9: Chal P 5C **32**
Glebe Way HP6: Amer 2H **15**
Glenister Rd. HP5: Ches 1G **9**
HP12: Book 3B **26**
Glenisters Rd. HP13: High W 7G **19**
Glenmore Cl. HP10: Flack H 5C **28**
Glenmore Ho. *HP11: Wyc M 4D 28*
(off Brambleside)
Globe Pk. SL7: Mar 6G **35**
Glory Cl. HP10: Woo G 1H **37**
Glory Hill La. HP9: B'fld 7H **29**
Glory Mill La. HP9: Woo G 7H **29**
HP10: Woo G 1G **37**
Glynswood HP13: High W 5H **19**
SL9: Chal P 4F **33**
Goddington Rd. SL8: Bour E 3C **36**
Godolphin Rd. HP9: Seer G 3G **31**
Gold Hill E. SL9: Chal P 6D **32**
Gold Hill Nth. SL9: Chal P 5C **32**
Gold Hill W. SL9: Chal P 5C **32**
Gomm Pl. HP13: High W 3C **28**
Gomm Rd. HP13: High W 3C **28**
Gomms Wood Cl. HP9: B'fld 3K **29**
Gomms Wood Ho. HP9: B'fld 3K **29**
Goodwin Mdws. HP10: Woo G 2G **37**
Goodwood Ri. SL7: Mar 1C **34**
Goose Acre HP5: Ches 3K **9**
Gordon Rd. HP5: Ches 5G **9**
HP13: High W 1J **27**
Gordon Way HP8: Chal G 7B **24**
Gore Hill HP7: Amer 1F **23**
Gorelands La. HP8: Chal G 5D **24**
Gorell Rd. HP9: B'fld 6F **31**
Gorse Wlk. HP15: Hazle 3C **20**
Gosling Gro. HP13: Down 4C **18**
Gossmore Cl. SL7: Mar 7F **35**
Gossmore La. SL7: Mar 7F **35**
Gossmore Wlk. SL7: Mar 7F **35**
Governors Cl. HP6: Amer 4K **15**
Gower Ho. HP6: Amer 2J **15**
Grace Reading Cl.
HP13: High W 1A **28**
Graeme Av. HP16: P'wd 6J **5**
Grafton St. HP12: High W 6D **18**
Graham Dr. HP12: Book 2B **26**
Grange Cl. SL9: Chal P 5E **32**
Grange Cotts. HP16: Lit King 2C **12**
Grange Dr. HP5: Chart 1B **8**
HP10: Woo G 5F **37**
Grange Flds. SL9: Chal P 5E **32**
Grange La. SL6: Cook 7B **36**
Grange Rd. HP15: Hazle 2B **20**
HP15: Wid E 1A **20**
SL9: Chal P 5E **32**
Grapevine Cl. HP11: Wyc M 3B **28**
Grassingham End SL9: Chal P 4E **32**
Grassingham Rd.
SL9: Chal P 4E **32**
Grattan Ct. SL7: Mar 5G **35**
GRAVEL HILL 3F **33**
Gravel Hill SL9: Chal P 3E **32**
Grayburn Cl. HP8: Chal G 6A **24**
Grayling Cl. SL7: Mar 7C **34**
Grays Wlk. HP5: Ches 2F **9**
GREAT HAMPDEN 4D **4**
GREAT HIVINGS 1K **9**
Great Hivings HP5: Ches 1K **9**
GREAT KINGSHILL 5A **12**
GREAT MISSENDEN 5C **6**
Great Missenden Station (Rail) 5C **6**
Greaves Rd. HP13: High W 1K **27**
Green, The HP7: Amer 4H **15**
HP10: Woo G 2G **37**
HP16: Gt M 5D 6
(off Church St.)
Greenacres, The HP13: High W 5J **19**
Greenacres La. HP10: Tyl G 5C **20**
Greenbury Cl. WD3: Chorl 1J **25**
Green Cl. HP13: High W 7B **20**
Green Comn. La.
HP10: Woo G 4J **37**
Green Cres. HP10: Flack H 1E **36**
Grn. Dragon La.
HP10: Flack H 1D **36**
Green E. Rd. HP9: Jord 4J **31**
Greene Ho. SL9: Chal P 1E **32**
Greenfell Rd. HP9: B'fld 4C **30**
Greenfield End SL9: Chal P 4F **33**
GREEN HAILEY 1A **4**
Green Hill HP13: High W 5H **19**
Green Hill Ga. HP13: High W 5H **19**
Green Hill Ri. HP13: High W 5J **19**
Greenlands HP10: Flack H 1D **36**
Greenlands La. HP16: P'wd 5H **5**
Green La. HP5: Ches, Lat 6K **9**
HP6: Amer 2H **15**
HP16: P'wd 6K **5**
Green La. Cl. HP6: Amer 2H **15**
Green Leys HP13: Down 4C **18**
Green Nth. Rd. HP9: Jord 3J **31**
Green Pk. HP16: P'wd 6K **5**
Greenridge HP10: Tyl G 7D **20**
Green Rd. HP5: Ches 1H **9**
HP13: High W 4J **19**
Greenside *HP16: P'wd 7K 5*
(off Lodge La.)
SL8: Bour E 3C **36**
Green St. HP11: High W 7E **18**
HP15: Hazle 2B **20**
WD3: Chen, Chorl 5J **17**
Green Valley Pk. HP10: Woo G 6G **29**
Green Verges SL7: Mar 5E **34**
Greenway HP5: Ches 1F **9**
Greenway, The HP10: Tyl G 5D **20**
HP13: High W 7H **19**
SL9: Chal P 7D **32**
Greenway Ct. HP13: High W 7H **19**
Greenway Pde. HP5: Ches 1F **9**
Green W. Rd. HP9: Jord 4J **31**
Greenwood HP14: Walt A 3A **10**
Greenwood Cl. HP6: Amer 3J **15**
HP9: Seer G 3H **31**
Gregories Farm La. HP9: B'fld 5B **30**
Gregories Rd. HP9: B'fld 5K **29**
Grenfell Av. HP12: High W 7D **18**
Griffiths Yd. HP5: Ches 3F **9**
Grimms Hill HP16: Gt M 5B **6**
Grimms Mdw. HP14: Walt A 4B **10**
Grimsdell's Cnr. *HP6: Amer 3H 15*
(off Grimsdell's La.)
Grimsdell's La. HP6: Amer 3H **15**
Groom Rd. HP16: P'wd 7J **5**
Grove, The HP5: Lat 2D **16**
HP6: Amer 1H **15**
Grove Cl. SL9: Chal P 5C **32**
Grove Ct. HP9: B'fld 5B **30**
Grove End SL9: Chal P 5C **32**
Grove Hill SL9: Chal P 4C **32**
Grove La. SL9: Chal P 5C **32**
Grove Rd. HP9: B'fld 5B **30**
HP12: High W 6C **18**
HP15: Hazle 3B **20**
Groves Cl. SL8: Bour E 5E **36**
Groves Way WD3: Chorl 2H **25**
Grovewood Cl. WD3: Chorl 2H **25**
Grubbins La. HP27: Speen 6B **4**
Gryms Dyke HP16: P'wd 6J **5**
Guinions Rd. HP13: High W 2A **28**
Gunthorpe Rd. SL7: Mar 5G **35**
Gurnells Rd. HP9: Seer G 2G **31**
Gurney Cl. HP9: B'fld 5B **30**
Gurneys Mdw. HP15: Holm G 6F **13**
Gweneth Ct. SL7: Mar 5D **34**

Gynant Rd. HP13: High W 1B 28
Gypsy La. HP11: High W 2K 27
  SL7: Mar .3E 34

H

Haddon Rd. WD3: Chorl 2J 25
Half Acre Hill SL9: Chal P 5F 33
Halfway Ho. La. HP5: Ches 6C 8
Halifax Ho. HP7: Lit Chal 5C 16
Halifax Rd. HP12: High W 3C 26
  WD3: Heron 4J 25
Halings La. UB9: Den 1K 39
Hall Cl. HP13: High W 2B 28
Halls Corner HP10: Flack H 6C 28
Hamilton Ct. HP13: High W 6H 19
Hamilton Rd. HP13: High W 6H 19
Hammersley La. HP10: Penn 3D 28
  HP13: High W 3D 28
Hampden Av. HP5: Ches 3E 8
HAMPDEN BOTTOM 2G 5
Hampden Ct. HP11: Wyc M 4D 28
Hampden Hill HP9: B'fld 5K 29
Hampden Rd. HP13: High W 6H 19
  HP16: P'wd 5F 5
  HP27: Speen 1C 10
  SL9: Chal P 5D 32
Hampshire Ho. SL9: Chal P 2E 32
HANDY CROSS 5E 26
Hanes Rd. HP15: Wid E 7B 12
Hanging Cft. Cl. HP13: High W 1B 28
Hangings La. HP16: P'wd 6G 5
Hanover Ct. HP15: Hazle 3C 20
Hardenwaye HP13: High W 5A 20
Harding Rd. HP5: Ches 3H 9
HARDINGS GREEN 7J 35
Hardwick Gdns. HP6: Amer 4J 15
Harebell Wlk. HP15: Wid E 7B 12
Hare La. HP16: Lit King 2C 12
Hare La. End HP16: Lit King 2C 12
Harewood Rd. HP8: Chal G 7C 16
Harlech Ho. HP13: High W 7B 20
              (off Gayhurst Rd.)
HARLOW HOUSE 1J 27
Harlow Rd. HP13: High W 1J 27
Harman Wlk. HP12: Book 4C 26
Harries Cl. HP5: Ches 2F 9
Harries Way HP15: Holm G 7D 12
Hartwell Dr. HP9: B'fld 4B 30
Harvest Bank HP6: Hyde H 1A 14
Harvest Hill HP10: Woo G 6G 37
  SL8: Bour E 6E 36
Harvey Orchard HP9: B'fld 4A 30
Harwood Rd. SL7: Mar 7C 34
Hatches La. HP15: Gt K 4G 11
  HP16: P'wd 4G 11
Hatchetts Cl. HP10: Penn 7H 21
Hatter's La. HP13: High W 2A 28
Havenfield Cl. HP13: High W 7H 19
Havenfield Rd. HP12: Book 3B 26
HAWKS HILL 5F 37
Hawks Hill SL8: Bour E 6E 36
Hawksmoor Cl. HP13: Down 6G 19
Hawkswood La. SL9: Ger X 7F 39
Hawthorn Cres. HP15: Hazle 4D 20
Hawthorne Cl. SL7: Mar 4E 34
Hawthorne Gdns. HP10: Flack H 5C 28
Hawthorne Rd. HP13: High W 2B 28
Hawthornes, The HP10: Woo G 2G 37
Hawthorn Pl. HP10: Tyl G 6E 20
Hawthorns, The HP8: Chal G 6C 16
  WD3: Map X 2K 33
Hawthorn Wlk. HP15: Hazle 4D 20
Hawthorn Way HP5: Ches 2H 9
Hayes Pl. SL7: Mar 7D 34
Hayfield Dr. HP15: Hazle 4D 20
Hay La. SL3: Fulm 7D 38
Haystacks, The HP13: High W 7H 19
Hazelbury Rd. HP13: High W 1K 27
Hazel Cl. SL7: Mar 2C 34
Hazell Pk. HP7: Amer 5H 15
Hazell Rd. HP16: P'wd 7J 5
Hazelwood Cl. HP5: Ches 2H 9
HAZLEMERE 2C 20
Hazlemere Ct. HP15: Hazle 2C 20
Hazlemere Rd. HP10: Tyl G 4E 20
Hazlemere Vw. HP15: Hazle 1D 20
Headland Cl. HP16: Gt M 4B 6

Healey Av. HP13: High W 7K 19
Hearn Cl. HP10: Tyl G 4B 20
Hearne Ct. HP8: Chal G 7B 24
Hearnes Cl. HP9: Seer G 2H 31
Hearne's Mdw. HP9: Seer G 2H 31
Heath Cl. HP15: Holm G 7D 12
HEATH END .4A 12
Heath End Cl. HP15: Gt K 4A 12
Heath End Rd. HP10: Flack H, High W . . .4H 27
  HP15: Gt K 4A 12
  HP15: Lit King 4A 12
Heatherton Pk. HP6: Amer 2F 15
Heather Wlk. HP15: Hazle 3C 20
Heathfield Rd. HP12: High W 7B 18
  SL1: Burn 7H 37
Heath Lawn HP10: Flack H 6B 28
Heath Rd. HP6: Hyde H 7A 8
  HP9: B'fld 6H 29
Heavens Lea SL8: Bour E 6E 36
Hedge Lea HP10: Loud 7F 29
Hedgerley La. HP9: B'fld 7D 30
Hedgerow SL9: Chal P 3E 32
Hedley Rd. HP10: Flack H 7D 28
Hedley Vw. HP10: Loud 6F 29
HEDSOR 5H 37
Hedsor Hill SL8: Bour E 6E 36
Hedsor La. HP10: Woo G 5H 37
  SL1: Burn 6J 37
Hedsor Rd. SL8: Bour E 6D 36
Hell Fire Caves 4A 18
Hellyer Way SL8: Bour E 5D 36
Henley Rd. SL7 . . . . .7B 34
Hennerton Way HP13: High W 1B 28
Hepplewhite Cl. HP13: High W 6K 19
Herbert Rd. HP13: High W 1C 28
Herberts Hole HP5: Ches 3J 7
  HP16: Ball 3H 7
Heritage Wlk. WD3: Chorl 7K 17
Hermitage, The HP16: Gt M 5C 6
              (off High St.)
HERONSGATE 4J 25
Heronsgate Rd. WD3: Chorl 3H 25
Herons Pl. SL7: Mar 6E 34
Hervines Ct. HP6: Amer 3G 15
Hervines Rd. HP6: Amer 3F 15
Hibbert Lodge SL9: Chal P 6D 32
Hibberts Way SL9: Ger X 7E 32
Hickox Ct. HP10: Woo G 1H 37
Hicks Farm Ri. HP13: High W 6A 20
Higham Mead HP5: Ches 3G 9
Higham Rd. HP5: Ches 3F 9
High Beeches HP12: Book 1C 26
  SL9: Ger X 5D 38
High Beeches Cl. SL7: Mar 2C 34
High Bois La. HP6: Amer 1H 15
High Coppice HP7: Amer 5G 15
HIGHER DENHAM 4J 39
Highfield Av. HP12: Book 2B 26
Highfield Cl. HP6: Amer 3H 15
Highfield Ct. HP15: Hazle 3C 20
  SL9: Chal P 2F 33
Highfield Pk. SL7: Mar 7B 34
Highfield Rd. HP5: Ches 2F 9
  HP10: Flack H 7C 28
  SL8: Bour E 5D 36
HIGHFIELDS .7B 34
Highfield Way HP15: Hazle 3C 20
High Heavens Wood SL7: Mar 7C 26
Highlands HP10: Flack H 1D 36
Highlands Cl. SL9: Chal P 4F 33
Highlands End SL9: Chal P 4F 33
Highlands La. SL9: Chal P 4F 33
Highlea Av. HP9: Seer G 2G 31
Highmoor HP7: Amer 5H 15
Highmore Cotts. HP7: Lit Mis 3H 13
Highover Pk. HP7: Amer 6H 15
High St. HP5: Ches 5F 9
           (not continuous)
  HP7: Amer 5E 14
  HP8: Chal G 7B 24
  HP11: High W 1H 27
  HP13: Down 3D 18
  HP14: West W 4A 18
  HP16: Gt M 4C 6
  HP16: P'wd 6J 5
  SL7: Mar .6D 34
  SL9: Chal P 5E 32

High Vw. HP8: Chal G 6D 24
High Vw. Cl. SL7: Mar 7D 26
Highway, The HP9: B'fld 5B 30
Highway Ct. HP5: Ches 3H 9
  HP9: B'fld 4B 30
Highwood Av. HP12: Book 2B 26
Highwood Bottom HP27: Speen 7A 4
Highwood Cres. HP12: Book 1B 26
Highwoods Cl. SL7: Mar 1C 34
Highwoods Dr. SL7: Mar 2C 34
Highworth Cl. HP13: High W 5A 20
HIGH WYCOMBE 7H 19
High Wycombe Station (Rail) 7H 19
Hildreth Rd. HP16: P'wd 7J 5
Hiljon Cres. SL9: Chal P 5E 32
Hill, The HP7: Winch H 3A 22
Hillary Cl. HP13: High W 1A 28
Hillary Rd. HP13: High W 7A 20
Hill Av. HP6: Amer 4G 15
  HP15: Hazle 1C 20
Hillbottom Rd. HP12: High W 7A 18
Hillbury Cl. HP6: Amer 1G 15
Hill Cl. HP10: Woo G 1H 37
Hillcrest Ct. HP6: Amer 4G 15
              (off Hill Av.)
Hillcrest Waye SL9: Ger X 4F 39
Hillcroft Rd. HP5: Ches 2H 9
  HP10: Tyl G 5E 20
Hill Farm App. HP10: Woo G 1H 37
Hill Farm La. HP8: Chal G 5K 23
Hill Farm Rd. HP5: Ches 7H 9
  SL7: Mar .2D 34
  SL9: Chal P 4E 32
Hill Farm Way HP15: Hazle 4D 20
Hillfield Cl. HP13: Down 4E 18
Hillfield Rd. SL9: Chal P 4E 32
Hillfield Sq. SL9: Chal P 4E 32
Hillgrove SL9: Chal P 5E 32
Hill Ho. Cl. SL9: Chal P 4E 32
Hill Mdw. HP7: Coles 2D 22
Hill Ri. SL9: Chal P 6D 32
Hill Ri. Cres. SL9: Chal P 6E 32
Hillside HP5: Ches 1E 8
  HP13: High W 7K 19
Hillside Cen. HP11: High W 7F 19
Hillside Cl. HP8: Chal G 7B 24
  SL9: Chal P 3E 32
Hillside Gdns. HP7: Amer 6J 15
  HP13: High W 7K 19
Hillside Pk. HP27: Speen 1B 10
Hillside Rd. HP10: Tyl G 4C 20
  SL7: Mar .4E 34
  WD3: Chorl 2J 25
Hill St. HP13: High W 2B 28
HILLTOP 2J 9
Hill Top Dr. SL7: Mar 6B 34
Hillview Rd. HP13: High W 6K 19
Hillway HP7: Amer 7F 15
Hill Waye SL9: Ger X 3F 39
Hinton Cl. HP13: Down 5F 19
Hithercroft Rd. HP13: Down 4E 18
Hither Mdw. SL9: Chal P 5E 32
Hiving's Hill HP5: Ches 1E 8
Hivings Pk. HP5: Ches . . . . .1F 9 & 1K 9
Hobart Cl. HP13: High W 5A 20
Hobart Rd. HP13: High W 5K 19
Hobbshill Rd. HP16: Gt M 6D 6
Hodgemoor Vw. HP8: Chal G 7K 23
Hodges M. HP12: High W 1C 26
Hoe Mdw. HP9: B'fld 3A 30
Hogback Wood Rd. HP9: B'fld 4K 29
Hogg La. HP15: Holm G 7F 13
Holland Rd. SL7: Mar 6F 35
Hollies, The HP9: B'fld 4C 30
Hollis Rd. HP13: High W 6A 20
Holloway La. WD3: Chen, Sarr 4H 17
Hollow Ri. HP13: High W 5H 19
Hollow Way HP5: Ches 3C 8
Hollow Way La. HP5: Ches 1J 15
  HP6: Amer 1J 15
Hollyberry Gro. HP15: Holm G 6E 12
Hollybush La. HP6: Amer 2H 15
  UB9: Den .6J 39
Hollybush Rd. HP5: Ches 1K 9
Holly End HP14: Nap 5C 10
Holly Pl. HP11: Wyc M 4C 28
Holly Tree Cl. SL9: Chal P 2E 32
HOLMER GREEN 7E 12
Holmer Grn. Rd. HP15: Hazle 2C 20

Holmer La. HP12: Book 4C 26
Holmer Pl. HP15: Holm G 6E 12
Holmers Ct. HP12: Book 4B 26
Holmers Farm Way HP12: Book, High W . . .4B 26
Holmers La. HP12: High W 4C 26
HOLTSPUR 6J 29
Holtspur Av. HP10: Woo G 1G 37
Holtspur Cl. HP9: B'fld 7J 29
Holtspur La. HP9: Woo G 3G 37
Holtspur Pde. HP9: B'fld 7J 29
(off Holtspur Top La.)
Holtspur Top La. HP9: B'fld 7J 29
Holtspur Way HP9: B'fld 6J 29
Holywell Gdns. HP13: High W 7A 20
Homefarm Ct. HP8: Chal G 7A 24
Homefield Rd. WD3: Chorl 1K 25
Homelands Gdns. HP15: Gt K 5K 11
Home Mdw. Dr. HP10: Flack H 1D 36
Homestead, The HP12: High W 4D 26
HP15: Gt K 4J 11
Honeysuckle Fld. HP5: Ches 3G 9
Honeysuckle Rd. HP15: Wid E 6B 12
Honey Way HP14: Walt A 5B 10
Honor End La. HP16: P'wd 3G 5
Honor Rd. HP16: P'wd 6J 5
Honorwood Cl. HP16: P'wd 6H 5
Hoods Wood Rd. HP5: Ches 6G 9
Hoppers Way HP15: Gt K 5K 11
Hornbeam Cl. HP12: Book 3C 26
Hornbeam Wlk. HP15: Hazle 3C 20
(off Rose Av.)
HORN HILL 1H 33
Horn Hill La. SL9: Chal P 2F 33
Hornhill Rd. WD3: Map X 2H 33
Horns La. HP12: Book 4A 26
Horsemoor La. HP7: Winch H 3K 21
Horsenden Rd. HP13: High W 2B 28
Horseshoe Cres. HP9: B'fld 6C 30
Horsleys WD3: Map X 2K 33
Hospital Hill HP5: Ches 5G 9
HOTLEY BOTTOM 4J 5
Hotley Bottom La. HP16: P'wd 3J 5
Howard Ct. SL8: Bour E 5C 36
Howard Cres. HP9: Seer G 2G 31
Howard Ind. Est. HP5: Ches 2G 9
(off Chilton Rd.)
Howard Rd. HP5: Ches 1F 9
Howards Thicket SL9: Ger X 6C 38
Howards Wood Dr. SL9: Ger X 6D 38
Howe Dr. HP9: B'fld 2B 30
Howe Hill La. HP15: Holm G 5D 12
Hubbards Rd. WD3: Chorl 2K 25
Huesden Way SL9: Ger X 5F 39
Hughenden Av. HP13: Down, High W 6F 19
Hughenden Manor 3G 19
Hughenden Rd. HP13: High W 6G 19
HUGHENDEN VALLEY 6G 11
Hundred Acres La. HP7: Amer 6H 15
Hunters Cl. HP5: Ches 3E 8
Hunters Hill HP13: High W 2B 28
Huntley Cl. HP13: High W 4H 19
Hunt Rd. HP13: High W 1A 28
HUNT'S GREEN .1C 6
HUNT'S HILL 1D 18
Hunts Hill La. HP14: Nap 1D 8
Hurbert Day Cl. HP9: B'fld 4B 30
Hutchings Rd. HP9: B'fld 2B 30
Hychenden Cl. HP14: Nap 7E 10
Hyde Grn. HP9: B'fld 4D 30
SL7: Mar .7F 35
HYDE HEATH 1A 14
Hyde Heath Rd. HP6: Hyde H 5H 7
HP16: Hyde H 5H 7
Hyde La. HP16: Lit King 1F 13
Hylton Rd. HP12: High W 7C 18
Hyrons Cl. HP6: Amer 4J 15
Hyrons La. HP6: Amer 4H 15

I

Idaho Pk. HP16: P'wd 6H 5
Ilex Cl. HP15: Hazle 3C 20
Imperial Ct. HP10: Loud 5E 28
(off London Rd.)
Inkerman Dr. HP15: Hazle 1D 20
Inkerman Ter. HP5: Ches 6G 9
Institute Rd. SL7: Mar 7E 34

Isis Way SL8: Bour E 4D 36
Ivins Rd. HP9: B'fld 6J 29
Ivy Cotts. HP8: Chal G 6B 24
(off Up Corner)

J

Jackson Ct. HP15: Hazle 3C 20
Jackson Ind. Est. SL8: Bour E 5D 36
Jacob's Ladder HP5: Ches 5G 9
(off Punch Bowl La.)
James Cl. HP15: Hazle 7C 12
SL7: Mar .4F 35
Jarry Ct. SL7: Mar 5F 35
Jasmine Wlk. HP5: Ches 3E 8
Jeffries Ct. SL8: Bour E 6C 36
Jennings Fld. HP10: Flack H 1E 36
Jerome Cl. SL7: Mar 4F 35
Job's La. SL6: Cook 7H 35
John Hall Way HP12: High W 4C 26
John Hampden Way
HP16: P'wd 5H 5
John Milton's Cottage 7B 24
Joiners Cl. SL9: Chal P 4F 33
Joiner's La. SL9: Chal P 5E 32
Joiners Way SL9: Chal P 4E 32
JORDANS 3J 31
Jordans La. HP9: Jord 5J 31
Jordans Way HP9: Jord 3K 31
Jubilee Homes HP8: Chal G 6B 24
(off School La.)
Jubilee Rd. HP11: High W 7E 18
HP13: Down 4D 18
Juniper Cl. HP15: Hazle 3D 20
Juniper Cl. HP10: Flack H 1F 37
Juniper Dr. HP12: High W 2C 26
Juniper La. HP10: Flack H, Woo G 1E 36
Juniper Rd. SL7: Mar 3D 34

K

Kates Cl. HP16: P'wd 6J 5
Katherine Cl. HP10: Tyl G 6E 20
Kaybridge Cl. HP13: High W 2B 28
Keats Cl. HP11: High W 1F 27
Keen's Cl. HP13: High W 5A 20
Keepers La. HP6: Hyde H 3A 14
HP7: Lit Mis 3A 14
Keep Hill Dr. HP11: High W 3K 27
Keep Hill Rd. HP11: High W 2K 27
Kelvin Cl. HP13: Down 6F 19
Kendalls Cl. HP13: High W 1B 28
Kennedy Av. HP11: High W 3H 27
Kennedy Cl. SL7: Mar 5E 34
Kennet Cl. HP13: High W 4K 19
Kennett Rd. SL8: Bour E 4D 36
Kent Ho. SL9: Chal P 2E 32
Kenton Cl. SL7: Mar 6E 34
Kenway Dr. HP7: Lit Chal 5B 16
Kerslake Ho. SL9: Chal P 2E 32
Kesters Rd. HP5: Ches 5H 9
Kestral Lodge HP9: B'fld 5K 29
Kestrel Cl. HP13: Down 5C 18
Kestrel Dr. HP15: Hazle 1D 20
Kew Gro. HP11: High W 3H 27
Kiln Av. HP6: Lit Chal 4C 16
Kiln Cl. HP16: P'wd 5J 5
KILN COMMON 5J 5
Kiln Cl. HP9: B'fld 7J 29
Kiln Cft. Cl. SL7: Mar 5G 35
Kiln Flds. HP10: Woo G 6G 37
SL6: Terr .7F 37
SL8: Bour E 7F 37
Kiln La. HP10: Woo G 5E 36
HP27: L Grn 7A 4
SL8: Bour E 5E 36
Kilnpond La. HP13: Down 3D 18
Kiln Rd. HP16: P'wd 5H 5
Kilnwood HP14: Walt A 4B 10
Kingfisher Cl. HP16: P'wd 7J 5
Kings Cl. HP8: Chal G 6D 24
HP9: B'fld 7J 29
Kings Farm Rd. WD3: Chorl 3K 25
Kingshill Rd. HP13: High W 4K 19
HP15: High W 2K 19

King's La. HP16: Sth H 4F 7
HP16: The L 1D 6
Kingsley Cres. HP11: High W 1F 27
Kingsley Dr. SL7: Mar 2C 34
Kings Lodge HP6: Amer 4H 15
(off King George V Rd.)
Kingsmead Bus. Cen.
HP11: Wyc M 4D 28
Kingsmead Rd. HP11: Wyc M 3A 28
Kings Ride HP10: Tyl G 5D 20
Kings Rd. HP8: Chal G 6C 24
HP11: Wyc M 3B 28
Kings Sq. HP11: Wyc M 3B 28
Kingston Rd. HP13: High W 6K 19
King St. HP5: Ches 5F 9
Kingstreet La. HP15: Holm G 5F 13
Kingsway HP9: B'fld 3B 30
SL9: Chal P 7E 32
Kingswood Av. HP10: Tyl G 6D 20
Kingswood Pde. SL7: Mar 3D 34
Kingswood Pl. HP13: High W 5A 20
Kingswood Rd. HP10: Tyl G 5C 20
Kirtle Rd. HP5: Ches 4G 9
Kitchener Ho. SL9: Chal P 1E 32
Kitchener Rd. HP11: High W 7E 18
Kite Wood Rd. HP10: Tyl G 5D 20
Klondyke SL7: Mar 6D 34
Knaves Beech HP10: Loud 6F 29
Knaves Beech Est. HP10: Loud 6E 28
Knaves Beech Way HP10: Loud 6E 28
Knaves Hollow HP10: Woo G 6F 29
Knights Hill HP12: High W 1E 26
Knights Templar Way HP11: High W 3H 27
Knottocks Cl. HP9: B'fld 2B 30
Knottocks Dr. HP9: B'fld 2A 30
Knottocks End HP9: B'fld 2B 30
KNOTTY GREEN .2B 30

L

Laburnum Cl. SL7: Mar 4E 34
Laburnum Rd. HP12: High W 2C 26
Lacemaker Ct. HP7: Amer 6G 15
(off Piggotts Orchard)
Lacey Dr. HP14: Nap 7D 10
Laceys Dr. HP15: Hazle 7D 12
Lacey's Yd. HP5: Ches 4F 9
(off High St.)
Lady Verney Cl. HP13: High W 6H 19
Ladywalk WD3: Map X 2K 33
Lagger, The HP8: Chal G 7B 24
Lagger Cl. HP8: Chal G 7B 24
Lakeman Ho. SL9: Chal P 2F 33
Lakes La. HP9: B'fld 6D 30
Lambscroft Way SL9: Chal P 6E 32
Lammas Way HP10: Loud 6E 28
Lancaster Ct. HP12: High W 3D 26
Lancaster Rd. HP12: High W 2E 26
Lance Way HP13: High W 2C 28
Lane End Rd. HP12: Book, High W 3A 26
Lane Wood Cl. HP7: Amer 5K 15
Langdale Ho. HP11: Wyc M 3C 28
Langley Way SL7: Mar 6C 34
Lansdell Av. HP12: Book 3B 26
Lansdowne Rd. HP5: Ches 2G 9
Lansdowne Way HP11: High W 4D 26
Lansdown Rd. SL9: Chal P 5D 32
Lappetts La. HP16: Sth H 4F 7
Larch Cl. HP10: Tyl G 4E 20
Larches, The HP6: Lit Chal 4B 16
HP15: Holm G 6F 13
Larchlands, The HP10: Tyl G 5F 21
Larchwood HP16: Lit King 1D 12
Larkfield Cl. HP13: High W 5B 20
Lark Ri. HP15: Hazle 1D 20
Larkspur Way HP15: Wid E 7B 12
Larks Ri. HP5: Ches 6H 9
Latchmoor Av. SL9: Chal P 1D 38
Latchmoor Gro. SL9: Chal P 1D 38
Latchmoor Way SL9: Chal P 1D 38
LATIMER 3E 16
Latimer Cl. HP6: Lit Chal 5C 16
Latimer Rd. HP5: Ches, Lat 7J 9
WD3: Chen 3G 17
Latimer Way HP9: B'fld 1A 30
Launce Ston WD3: Chorl 3H 25
Laurance Ct. SL7: Mar 6D 34

Laurel Cl. HP16: P'wd 5H **5**
  HP27: Speen .1C **10**
Laurel Ct. HP6: Amer 2G **15**
Laurel Dr. HP13: High W 4D **28**
  HP14: Nap 6D **10**
Laurel Rd. SL9: Chal P 5D **32**
Laurels, The HP12: Book 3C **26**
Lavender Way HP15: Wid E 6B **12**
Lawford Av. WD3: Chorl 3J **25**
Lawford Cl. WD3: Chorl 3J **25**
Lawns, The HP10: Tyl G 4D **20**
Lawrence Gro. HP16: P'wd 7K **5**
Lawsone Ri. HP13: High W 5H **19**
Layter's Av. SL9: Chal P 6C **32**
Layter's Av. Sth. SL9: Chal P 6C **32**
Layter's Cl. SL9: Chal P 6C **32**
Layter's End SL9: Chal P 6C **32**
LAYTER'S GREEN 5C **32**
Layter's Grn. La. SL9: Chal P 7A **32**
Layter's Grn. Mobile Home Pk.
  SL9: Chal P .6B **32**
Layters Way SL9: Ger X 2D **38**
Leachcroft SL9: Chal P 5B **32**
Lea Cl. SL7: Mar 2D **34**
Leas Cl. HP13: High W 6B **20**
Leather La. HP16: Wid E 2B **6**
Ledborough Ct. HP9: B'fld 3C **30**
Ledborough Ga. HP9: B'fld 3C **30**
Led Borough La. HP9: B'fld 4B **30**
Ledborough Wood HP9: B'fld 3C **30**
Lee Farm Cl. HP5: Ches 3K **9**
Lees Wlk. SL7: Mar 6C **34**
Leigh St. HP11: High W 7F **19**
Lester Gro. HP15: Hazle 2C **20**
Lewins Rd. SL9: Chal P 7D **32**
Lewins Yd. *HP5: Ches* *5F 9*
  (off High St.)
Lewis La. SL9: Chal P 5E **32**
Lexham Ct. *HP6: Amer* *3G 15*
  (off Rickmansworth Rd.)
Lexham Gdns. HP6: Amer 3G **15**
Leys, The HP6: Amer 1F **15**
Leywood Cl. HP7: Amer 6J **15**
Lillyfee Farm La. HP10: Woo G 2J **37**
Lily Bottom La. HP27: Par H 4A **4**
Lily's Wlk. HP11: High W 1G **27**
Lime Av. HP11: High W 2K **27**
Lime Cl. HP15: Hazle 3C **20**
Limes, The HP6: Amer 1F **15**
Lime Tree Cl. HP15: Gt K 5K **11**
Lime Tree Wlk. HP7: Amer 5K **15**
Limmer La. HP12: Book 4B **26**
Limmers Mead HP15: Gt K 5J **11**
Linchfield HP13: High W 1K **27**
Lincoln Pk. HP7: Amer 5J **15**
Lincoln Pk. Bus. Cen. HP12: High W 1D **26**
Lincoln Rd. HP12: High W 2E **26**
  SL9: Chal P .5E **32**
Lincolns, The HP16: Lit King 2C **12**
Lincolns Hill HP12: High W 5E **32**
Linden Dr. SL9: Chal P 5E **32**
Linden Wlk. HP15: Hazle 3D **20**
Lindo Cl. HP5: Ches 3F **9**
Lindsay Av. HP12: High W 7E **18**
Linfields HP7: Lit Chal 6C **16**
Lingfield Cl. HP13: High W 2C **28**
Linington HP5: Ches 3K **9**
Link, The HP15: Hazle 1C **20**
Link Cl. HP12: High W 1D **26**
Link Rd. HP12: High W 1D **26**
  HP16: Gt M 5C **6**
Links App. HP10: Flack H 7D **28**
Links Rd. HP10: Flack H 7D **28**
Links Way HP10: Flack H 7D **28**
Linnet Cl. HP12: Book 4A **26**
Lisle Rd. HP13: High W 5G **19**
Lisleys Fld. HP15: Cry H 6K **11**
Liston Cl. SL7: Mar 6D **34**
Liston Rd. SL7: Mar 6D **34**
Little Boltons SL7: Mar 7E **34**
LITTLE BOYS HEATH 2E **12**
LITTLE CHALFONT 5D **16**
Lit. Chartridge Ct. HP5: Ches 3E **8**
Little Cl. HP10: Flack H 2D **36**
  HP12: High W 4E **26**
Little Greencroft HP5: Ches 1K **9**
LITTLE HAMPDEN 1G **5**
Little Hill WD3: Heron 3J **25**
Little Hivings HP5: Ches 1K **9**

Little Hollis HP16: Gt M 5A **6**
Lit. Hundridge La. HP5: Ches 3J **7**
  HP16: Hyde H 3J **7**
LITTLE KINGSHILL 1D **12**
LITTLE MARLOW 3J **35**
Lit. Marlow Rd. SL7: Mar 6E **34**
LITTLE MISSENDEN 3J **13**
Lit. Reeves Av. HP7: Amer 5K **15**
Little Shardeloes HP7: Amer 5E **14**
Little Springs HP5: Ches 1F **9**
Littleworth Rd. HP13: Down 4E **18**
  SL1: Burn 7K **37**
Litton Ct. HP10: Loud 5E **28**
Llanbury Cl. SL9: Chal P 4E **32**
Loakes Rd. HP11: High W 1G **27**
Lock Bri. Rd. SL8: Bour E 4C **36**
Lock Rd. SL7: Mar 6E **34**
Loddon Rd. SL8: Bour E 4C **36**
Lodge Cl. SL7: Mar 7E **34**
Lodge La. HP8: Chal G 5E **16**
  HP16: P'wd 7J **5**
Lollards Cl. HP6: Amer 3G **15**
London End HP9: B'fld 6D **30**
London Rd. HP8: Chal G 6C **24**
  HP9: B'fld 6E **30**
  HP10: Woo G 6E **30**
  HP11: High W, Wyc M 1J **27**
  HP16: Gt M 6D **6**
  HP22: Wend .1A **6**
London Rd. E. HP7: Amer 7H **15**
London Rd. W. HP7: Amer 6G **15**
Longbottom La. HP9: B'fld 3E **30**
Longcroft Rd. WD3: Map X 2K **33**
Longfield HP16: Lit King 1D **12**
Longfield Dr. HP6: Amer 4F **15**
Longfield Rd. HP5: Ches 2D **8**
Long Gro. HP9: Seer G 3G **31**
Longland Way HP12: High W 2A **26**
Long La. WD3: Heron 3J **25**
Longlees WD3: Map X 2K **33**
Long Mdw. HP5: Ches 1G **9**
Long Orchard Dr. HP10: Tyl G 6E **20**
Long Pk. Cl. HP6: Amer 2G **15**
Long Pk. Way HP6: Amer 2G **15**
Long Row HP16: P'wd 6K **5**
Longview HP9: B'fld 7H **29**
Long Wlk. HP8: Chal G 7D **16**
Long Wood Dr. HP9: Jord 3K **31**
Longwood La. HP7: Amer 5H **15**
Lords Mill Ct. HP5: Ches 5G **9**
Lorraine Cl. HP13: High W 6A **20**
Louches La. HP14: Nap 7D **10**
Loudhams Rd. HP7: Lit Chal 5C **16**
Loudhams Wood La.
  HP8: Chal G .6D **16**
LOUDWATER 5E **28**
Lovel End SL9: Chal P 4C **32**
Lovel Mead SL9: Chal P 4C **32**
Lovel Rd. SL9: Chal P 4C **32**
Lowden Cl. HP11: High W 6K **19**
LOWER BOIS 7H **9**
Lower Dr. HP9: B'fld 2B **30**
Lwr. Furney Cl. HP13: High W 6K **19**
Lwr. Hammersley La.
  HP13: High W 3D **28**
Lwr. Lodge La. HP15: Hazle 7C **12**
LOWER NORTH DEAN 4E **10**
Lwr. Pound La. SL7: Mar 7D **34**
Lower Ridge SL8: Bour E 4D **36**
Lower Riding HP9: B'fld 5K **29**
Lower Rd. SL9: Chal P 5E **32**
  SL9: Ger X 2F **39**
  UB9: Den 4J **39**
  WD3: Chorl .1J **25**
Lowfield Cl. HP15: Hazle 3C **20**
Lowfield Way HP15: Hazle 3D **20**
Lowlands Cres. HP15: Gt K 4K **11**
Lowndes Av. HP5: Ches 3F **9**
Lucas Rd. HP13: High W 6J **19**
Ludlow Rd. HP11: Wyc M 3C **28**
Lum's Yd. *HP5: Ches* *4F 9*
  (off high St.)
Lycrome La. HP5: Ches 1H **9**
Lycrome Rd. HP5: Ches 1H **9**
Lye Grn. Rd. HP5: Ches 3H **9**
Lynden Ho. HP5: Ches 3H **9**
Lyndhurst Cl. HP13: Down 5C **18**
Lyndon Cl. HP16: P'wd 5J **5**
Lyndon Gdns. HP13: High W 6A **20**

Lynford Pde. HP15: Holm G 7E **12**
Lynton Rd. HP5: Ches 1F **9**

M

Macdonald Cl. HP6: Amer 1G **15**
Madeley Cl. HP6: Amer 2H **15**
Magnolia Dene HP15: Hazle 4B **20**
Magnolia Way HP10: Woo G 1G **37**
Magpie Cl. HP10: Flack H 6C **28**
Magpie La. HP7: Coles 4D **22**
  HP10: Flack H 6C **28**
  HP13: High W 4D **28**
Mahoney Rd. HP11: High W 6E **18**
Main Dr. SL9: Ger X 2C **38**
Main Pde. WD3: Chorl 1J **25**
Main Pde. Flats WD3: Chorl 1J **25**
Main Rd. HP14: Nap 4B **10**
Maitland Dr. HP13: High W 6H **19**
Malden Cl. HP6: Amer 4K **15**
Malkin Dr. HP9: B'fld 4A **30**
Mallard Ho. HP11: High W 1J **27**
Malmers Well Rd. HP13: High W 7H **19**
Malthouse Sq. HP9: B'fld 7D **30**
Malthouse Way SL7: Mar 7D **34**
Maltings, The HP7: Amer 5F **15**
Maltmans La. SL9: Chal P 7C **32**
Malvern Cl. HP13: Down 6E **18**
Mandeville Rd. HP16: P'wd 5H **5**
Manor Cl. HP10: Tyl G 4C **20**
  HP16: P'wd 1K **11**
Manor Ct. SL7: Mar 5C **34**
Manor Ct. Yd. HP13: High W 5G **19**
Manor Cres. HP9: Seer G 2H **31**
Manor Dr. HP6: Amer 2F **15**
Manor Farm Way HP9: Seer G 3H **31**
Manor Gdns. HP10: Woo G 3G **37**
  HP13: High W 5G **19**
Manor La. SL9: Ger X 4D **38**
Manor Rd. HP5: Ches 2F **9**
  HP9: Seer G .2H **31**
  HP10: Tyl G .3B **20**
  HP15: Hazle .3B **20**
Manor Vw. HP15: Hazle 4D **20**
Manor Way HP5: Ches 3H **9**
  HP7: Coles 3D **22**
MANTLES GREEN 5E **14**
Maple Cl. HP12: High W 2C **26**
  SL9: Ger X 2F **39**
Maple Ct. HP5: Ches 3F **9**
MAPLE CROSS .2K **33**
Maplefield La. HP8: Chal G 7B **16**
Maple Ri. SL7: Mar 5E **34**
Maplewood Gdns. HP9: B'fld 6K **29**
Mapridge Grn. La. HP16: Gt M 3K **5**
Marchant Ct. SL7: Mar 5G **35**
Marefield Rd. SL7: Mar 6D **34**
Marigold Wlk. HP15: Wid E 7B **12**
Marish La. UB9: Den 2J **39**
  (not continuous)
Mark Dr. SL9: Chal P 1D **32**
Market Ho. SL9: Chal P 5D **32**
Market Pde. HP15: Hazle 2C **20**
Market Pl. SL9: Chal P 5D **32**
Market Sq. *HP5: Ches* *5F 9*
  (off High St.)
  HP7: Amer 6F **15**
  SL7: Mar 6D **34**
Market Wlk. HP7: Amer 6F **15**
Marlborough Trad. Est. HP11: High W 6F **19**
Marlin Ct. SL7: Mar 7D **34**
Marlins Cl. WD3: Chorl 6K **17**
MARLOW 6E **34**
MARLOW BOTTOM 3D **34**
Marlow Bottom SL7: Mar 7C **26**
Marlow Bri. La. SL7: Mar 7E **34**
Marlow Comn. SL7: Mar 5A **34**
MARLOW COMMUNITY HOSPITAL 6E **34**
Marlow Ct. *HP6: Amer* *4K 15*
  (off Plantation Rd.)
Marlow FC 5D **34**
Marlow Hill HP11: High W 4F **27**
Marlow Mill SL7: Mar 7E **34**
Marlow Rd. HP11: High W 4E **26**
  SL7: Lit Mar .4H **35**
  SL7: Mar 7E **34**
  SL8: Bour E .4H **35**

Marlow Station (Rail) 6F 35
Marriotts Av. HP16: Sth H 3G 7
(not continuous)
Marrod's Bottom HP7: Winch H 6A 22
Marsham La. SL9: Ger X 3E 38
Marsham Lodge SL9: Ger X 3E 38
Marsham Way SL9: Ger X 2E 38
Marsh Ct. HP11: High W 3B 28
Marston Cl. HP5: Ches 1K 9
Martineau Ho. SL9: Chal P 2E 32
Martinsend La. HP16: Gt M 5A 6
Martyrs Ct. HP7: Amer 5G 15
Marys Mead HP15: Hazle 2B 20
Masefield Cl. HP5: Ches 1F 9
Masons Cl. HP16: P'wd 7J 5
Masons Ct. HP5: Ches 3G 9
Maude Cl. HP9: B'fld 6E 30
Maude Rd. HP9: B'fld 6E 30
Maurice Mt. HP15: Hazle 7B 12
Maxwell Dr. HP15: Hazle 1D 20
Maxwell Rd. HP9: B'fld 4C 30
Maybrook Gdns. HP13: High W 6J 19
Maybush Gdns. HP16: P'wd 6J 5
Mayfield Rd. HP10: Woo G 2G 37
Mayflower Way HP9: B'fld 7J 29
Mayhall La. HP6: Amer 1F 15
Mayhew Cres. HP13: High W 6K 19
May Tree Cl. SL7: Mar 2C 34
Mead, The HP9: B'fld 5C 30
Mead Cl. SL7: Mar 5F 35
Meades La. HP5: Ches 5F 9
Meadow Bank SL8: Bour E 5D 36
Meadow Cl. HP5: Ches 1K 9
HP11: Wyc M 3B 28
SL7: Mar 7F 35
Meadowcot La. HP7: Coles 3D 22
Meadow Cotts. HP16: Lit King 2D 12
Meadowcroft SL9: Chal P 6D 32
Meadow Dr. HP6: Amer 3J 15
Meadow Ga. HP16: P'wd 2J 11
Meadow La. HP9: B'fld 5D 30
HP16: Sth H 3G 7
Meadow Rd. SL7: Mar 6A 26
Meadows, The HP7: Amer 5J 15
HP10: Flack H 7D 28
Meadowside HP9: Jord 4K 31
Meadow Vw. HP8: Chal G 7A 24
SL7: Mar 2E 34
Meadow Wlk. HP10: Tyl G 5E 20
SL8: Bour E 3C 36
Mead Pk. HP15: Holm G 6E 12
Mead St. HP13: High W 3C 28
Mead Way HP11: Wyc M 3B 28
Meadway Pk. SL9: Ger X 5D 38
Meare Estate HP10: Woo G 7F 29
Meavy Cl. HP13: High W 3D 28
Melbourne Rd. HP13: High W 1B 28
Melrose Ct. HP13: High W 5H 19
Mendip Way HP13: Down 6F 19
Mendy St. HP11: High W 7G 19
Mentmore Cl. HP12: Book 1B 26
Mentmore Rd. HP12: Book 1B 26
Mere Cl. SL7: Mar 6F 35
Mere Pk. SL7: Mar 6F 35
Merlewood Cl. HP11: High W 3G 27
Merlin Cen., The HP12: High W 2E 26
Merrydown HP13: Down 5D 18
Micholls Av. SL9: Chal P 1E 32
MICKLEFIELD .1C 28
Micklefield Rd. HP13: High W 2B 28
Mid Cross La. SL9: Chal P 2F 33
Middlebrook Rd. HP13: Down 5D 18
Middle Cl. HP6: Amer 3K 15
Middle Cres. UB9: Den 4K 39
Middle Dr. HP9: B'fld 2B 30
Middle Mdw. HP8: Chal G 7B 24
Middle Rd. UB9: Den 4J 39
Middleway, The HP12: High W 1C 26
Miersfield HP11: High W 4D 28
Mile Elm SL7: Mar 5G 35
Millbank SL7: Mar 7F 35
Millboard Rd. SL8: Bour E 5D 36
Millbrook Cl. HP12: High W 6D 18
Milldun Way HP12: High W 1D 26
Mill End Cotts. HP7: Lit Mis 3K 13
Mill End Rd. HP12: High W 7C 18
Miller Pl. SL9: Ger X 2D 38
Millfiields HP5: Ches 6G 9
(not continuous)

Mill La. HP7: Amer 5E 14
HP8: Chal G 6A 24
HP9: B'fld 6C 30
HP16: Gt M .5E 6
SL9: Ger X .3F 39
Mill Rd. SL7: Mar 7E 34
Millshot Dr. HP7: Amer 6G 15
Mill Side SL8: Bour E 5E 36
Millstream, The HP11: High W 1J 27
Millstream Way HP10: Woo G 7F 29
Milton Av. SL9: Chal P 1D 38
Milton Flds. HP8: Chal G 7B 24
Milton Ho. SL9: Chal P 1E 32
Milton Hill HP8: Chal G 7B 24
Milton Lawns HP6: Amer 2H 15
Milton Rd. HP5: Ches 2F 9
Mineral La. HP5: Ches 5G 9
Minerva Way HP9: B'fld 6D 30
Mines Cl. HP13: Down 3D 18
Mirrie La. UB9: Den 2J 39
Misbourne Av. HP13: High W 1B 28
SL9: Chal P 2D 32
Misbourne Cl. SL9: Chal P 2E 32
Misbourne Ct. HP7: Amer 6F 15
(off Church St.)
Misbourne Dr. HP16: Gt M 6D 6
Misbourne Mdws. UB9: Den 5J 39
Misbourne Va. SL9: Chal P 2D 32
Missenden M. HP16: Gt M 5C 6
(off High St.)
Missenden La. HP5: Ches 5C 8
HP15: Gt K .2K 11
Mitchell Wlk. HP6: Amer 4J 15
Moat Cl. HP16: P'wd 6J 5
Moat Dr. HP16: P'wd 5J 5
Moat La. HP16: P'wd 5J 5
MOBWELL 4C 6
Mobwell Ter. HP16: Gt M 4C 6
Mole Run HP13: Down 5C 18
Monks Hollow SL7: Mar 3E 34
Monkton Way HP27: Speen 7C 4
Montford M. HP15: Hazle 4A 20
Monument La. SL9: Chal P 3E 32
Moor, The SL7: Lit Mar 4J 35
Moor La. HP13: Down 3D 18
WD3: Sarr .2K 17
Moor Rd. HP5: Ches 6G 9
Moorside HP10: Woo G 7G 29
MOP END 6J 13
Mop End La. HP7: Amer 7J 13
Moreland Dr. SL9: Ger X 4F 39
Morris Cl. SL9: Chal P 5F 33
Morris M. HP11: Wyc M 4C 28
Morris Pl. SL7: Mar 6D 34
Mortens Wod HP7: Amer 6J 15
Moseley Rd. HP14: Nap 6C 10
Moses Plat La. HP27: Speen 7B 4
Mossway HP9: B'fld 3A 30
Mountain Ash SL7: Mar 2D 34
Mount Cl. HP10: Flack H 1E 26
Mt. Hill La. SL9: Ger X 5B 38
Mount La. UB9: Den 6K 39
Mount Nugent HP5: Ches 1K 9
Mt. Pleasant SL9: Chal P 2E 32
Moyleen Ri. SL7: Mar 7C 34
Mulberry Ct. HP15: Holm G 6F 13
Mumfords La. SL9: Chal P 7A 32
Munces Rd. SL7: Mar 2D 34
MUNDAYDEAN BOTTOM 4A 34
Mundaydean La. SL7: Mar 4A 34
Mylne Cl. HP13: Down 6F 19
Mynchen Cl. HP9: B'fld 1B 30
Mynchen End HP9: B'fld 1B 30
Mynchen Rd. HP9: B'fld 2B 30

N

Nag's Head La. HP16: Gt M 1B 12
Nailzee Cl. SL9: Ger X 4E 38
Nairdwood Cl. HP16: P'wd 1A 12
Nairdwood Way HP16: P'wd 1A 12
Nairwood HP16: P'wd 6K 5
Nalders Rd. HP5: Ches 2H 9
NAPHILL 6D 10
Narcot Cl. HP8: Chal G 7A 24
SL9: Chal P 1A 32
Narcot Rd. HP8: Chal G 7A 24
Narrow La. HP13: Down 3E 18

Nash Ho. HP7: Amer 5A 16
(off Repton Pl.)
Nashleigh Ct. HP5: Ches 2G 9
(off Severalls Rd.)
Nashleigh Hill HP5: Ches 2G 9
Nashleigh Ho. HP5: Ches 1J 9
Nash Pl. HP10: Tyl G 5D 20
NATIONAL SOCIETY FOR EPILEPSY, THE . .1F 33
Natwoke Cl. HP9: B'fld 2B 30
Neal Cl. SL9: Ger X 5H 39
Neale Cl. HP12: High W 4D 26
Needham Ct. HP11: High W 7F 19
(off Desborough Rd.)
Nelson Cl. HP7: Winch H 3A 22
HP13: High W 2B 28
Netherwood Rd. HP9: B'fld 2B 30
Newbarn La. HP9: Seer G 1J 31
New Chilterns HP7: Amer 5J 15
New Ct. SL7: Mar 6E 34
New Dr. HP13: High W 6A 20
Newfield Gdns. SL7: Mar 5F 35
Newfield Rd. SL7: Mar 6F 35
Newfield Way SL7: Mar 6F 35
New Footpath HP5: Ches 5F 9
(off Germaine St.)
Newland Pk. 7G 25
Newlands St. HP11: High W 7G 19
Newmer Rd. HP12: Book 4B 26
New Pde. WD3: Chorl 1J 25
New Pde. Flats WD3: Chorl 1J 25
New Pond Rd. HP15: Holm G 6E 12
New Rd. HP6: Amer 3J 15
HP7: Coles .1D 22
HP8: Chal G 7E 16
HP10: Tyl G .6D 20
HP12: Book, High W 7C 18
HP15: Gt K .5J 11
HP16: Lit King 1D 12
HP16: P'wd .6K 5
SL7: Mar 2D 34
SL8: Bour E 5D 36
New Rd. Cl. HP12: Book 1C 26
New Rd. Gdns. HP12: Book 1C 26
NEWTOWN 3F 9
Newtown Rd. SL7: Mar 5F 35
Nicholas Gdns. HP13: High W 6K 19
Nickson Ct. HP15: Hazle 3C 20
Nicol Cl. SL9: Chal P 5C 32
Nicol End SL9: Chal P 5C 32
Nicol Rd. SL9: Chal P 5C 32
Nightingale Ct. HP13: High W 7H 19
Nightingale Rd. HP5: Ches 2F 9
Nightingales Cnr. HP8: Chal G 6C 16
(off Coke's La.)
Nightingales Ct. HP8: Chal G 6C 16
Nightingales La. HP8: Chal G 7C 16
Nightingale Cl. HP15: Hazle 1D 20
Ninnings Rd. SL9: Chal P 4F 33
Ninnings Way SL9: Chal P 4F 33
Norgrove Pk. SL9: Ger X 1E 38
Norland Dr. HP10: Flack H 7E 28
Norris Pl. HP10: Woo G 4J 37
Northcroft HP10: Woo G 1G 37
Nth. Down Rd. SL9: Chal P 3E 32
North Dr. HP9: B'fld 7J 29
HP13: High W 6A 20
Northend Cl. HP10: Flack H 1E 36
Northern Hgts. SL8: Bour E 3D 36
Northern Woods HP10: Flack H 1E 36
North Hill WD3: Chorl 6K 17
North Pde. HP10: Flack H 6D 28
Nth. Orbital Rd. WD3: Map X 4K 33
North Pk. SL9: Chal P 7E 32
North Rd. HP6: Amer 2G 15
HP15: Wid E 2K 19
WD3: Chorl .2K 25
Nortoft Rd. SL9: Chal P 3F 33
Norwood Ct. HP7: Amer 6F 15
Norwood Rd. HP10: Loud 5D 28
Nottingham Ho. HP13: High W 7B 20
(off Gayhurst Rd.)
Nottingham Rd. WD3: Heron 4J 25
Nugent Ct. HP5: Ches 1E 8
(off Hiving's Hill)
SL7: Mar 5F 35
Nursery Cl. HP7: Amer 5J 15
Nursery Cl. HP12: High W 1D 26
Nursery La. HP10: Tyl G 6E 20

Nursery Wlk. SL7: Mar 7B **34**
Nutfield La. HP11: High W 6F **19**
Nutkins Way HP5: Ches 2G **9**

O

Oak Cres. HP12: Book 3C **26**
Oakdene HP9: B'fld 4C **30**
Oak End Way SL9: Ger X 2F **39**
Oakengrove HP16: P'wd 7J **5**
(off Lodge La.)
Oakengrove Cl. HP15: Holm G 7E **12**
Oakengrove La.
HP15: Hazle .3D **20**
Oakengrove Rd. HP15: Hazle 3C **20**
(not continuous)
Oak Fld. HP5: Ches 3F **9**
Oakfield Cl. HP6: Amer 3G **15**
Oakfield Cnr. HP6: Amer 4G **15**
(off Chesham Rd.)
Oakfield Rd. SL8: Bour E 5C **36**
Oakhill Cl. WD3: Map X 1K **33**
Oakhill Ri. WD3: Map X 1K **33**
(not continuous)
Oakingham Ct. HP11: Wyc M 4D **28**
Oakington Av. HP6: Lit Chal 5D **16**
Oaklands Ct. HP6: Amer 4G **15**
(off Chesham Rd.)
Oakland Way HP10: Flack H 6C **28**
Oakley HP10: Woo G 1H **37**
Oakley Ct. HP11: Wyc M 4D **28**
Oakridge Rd. HP11: High W 7E **18**
Oakshott Av. HP14: Nap 7E **10**
Oak St. HP11: High W 3J **27**
Oak Tree Av. SL7: Mar 5D **34**
Oaktree Cl. HP10: Tyl G 4D **20**
SL7: Mar 5D **34**
Oak Tree Rd. SL7: Mar 4D **34**
Oak Vw. HP15: Gt K 5K **11**
Oakview HP6: Hyde H 1B **14**
Oakway HP6: Amer 1F **15**
Oakwood HP10: Flack H 5B **28**
Octagon, The HP11: High W 7G **19**
(off Oxford La.)
Octagon Arc. HP11: High W 7G **19**
Octagon Pde. HP11: High W 7G **19**
(off Abbey Way)
Odds Farm Est. HP10: Woo G 4K **37**
Odds Farm Pk. 4K **37**
Odeon Cinema
Gerrards Cross 2E **38**
Odyssey Health Club 1G **37**
Ogilvie Rd. HP12: High W 7E **18**
Old Amersham Rd. SL9: Ger X 5H **39**
Old Bell's Ct. HP5: Ches 5F **9**
(off Church St.)
Oldbury Gro. HP9: B'fld 2B **30**
Old Coach Dr. HP11: Wyc M 3C **28**
Old Farm Cl. HP9: B'fld 2A **30**
Old Farm Rd. HP13: Down 4E **18**
Old Field Cl. HP6: Lit Chal 5E **16**
Old Forge Rd. HP10: Loud 5E **28**
Old Harden Waye HP13: High W 5A **20**
Old Horns La. SL7: Book 4A **26**
Oldhouse Cl. HP11: High W 4E **26**
Old Jordans Meeting House 4J **31**
Old Kiln Rd. HP10: Flack H 7C **28**
HP10: Tyl G .4E **20**
Old Lodge Dr. HP9: B'fld 6C **30**
Old Mead SL9: Chal P 3E **32**
Old Moor La. HP10: Woo G 7G **29**
Old Papermill Cl. HP10: Woo G 7G **29**
Old Rectory La. UB9: Den 4K **39**
Old Sax La. HP5: Chart 1B **8**
Old Shire La. WD3: Chorl 3G **25**
Old Sta. Way HP10: Woo G 3G **37**
Old Town Cl. HP9: B'fld 6C **30**
Old Town Farm HP16: Gt M 5C **6**
Old Vicarage Way HP10: Woo G 4G **37**
Old Watery La. HP10: Woo G 7G **29**
Oliver's Paddock SL7: Mar 3D **34**
One Tree La. HP9: B'fld 4C **30**
Onslow Gdns. HP13: High W 7A **20**
Oram Ct. SL7: Mar 6D **34**
Orchard, The HP10: Flack H 1D **36**
HP14: Nap 7E **10**
HP15: Hazle .7C **12**
SL7: Mar 5E **34**

Orchard Cl. HP9: B'fld 4B **30**
HP14: High V 6G **11**
WD3: Chorl .1K **25**
Orchard Cotts. HP7: Winch H 3A **22**
Orchard Dr. HP10: Woo G 4F **37**
HP15: Hazle .3C **20**
WD3: Chorl .7J **17**
Orchard End HP15: Hazle 7D **12**
Orchard End Av. HP7: Amer 5K **15**
Orchard Gro. HP10: Flack H 1D **36**
SL9: Chal P .5C **32**
Orchard Ho. SL8: Bour E 4C **36**
Orchard La. HP6: Amer 4H **15**
HP16: P'wd .6J **5**
Orchard Mill SL8: Bour E 7D **36**
Orchard Pk. HP15: Holm G 7E **12**
Orchard Rd. HP8: Chal G 6C **24**
HP9: B'fld 6D **30**
HP9: Seer G 2G **31**
HP13: High W 2B **28**
Orchards, The HP16: Lit King 3C **12**
Orchard Way HP15: Holm G 7E **12**
Orchehill Av. SL9: Ger X 1D **38**
Orchehill Ri. SL9: Ger X 2E **38**
Ostlers Ct. HP11: Wyc M 3C **28**
Outfield Rd. SL9: Chal P 4D **32**
Outlook Dr. HP8: Chal G 7D **24**
Oval Way SL9: Ger X 1E **38**
Overdale Rd. HP5: Ches 1F **9**
Overdales HP15: Hazle 3B **20**
Over Hampden HP16: P'wd 5J **5**
Overshot Ho. HP10: Loud 5D **28**
Over The Misbourne Rd. SL9: Ger X 3G **39**
UB9: Den 3H **39**
Owlsears Cl. HP9: B'fld 3B **30**
Oxford Rd. HP9: B'fld 7J **29**
HP11: High W 7G **19**
SL7: Mar 6C **34**
SL9: Ger X .1A **38**
UB9: Den 5F **39**
Oxford St. HP11: High W 7G **19**

P

Packhorse Rd. SL9: Ger X 1E **38**
Paddock, The SL9: Chal P 2E **32**
Paddocks, The HP12: Book 4B **26**
HP16: P'wd .7J **5**
SL7: Mar 6F **35**
(off Savill Way)
Paddocks End HP9: Seer G 3G **31**
Paget Cl. SL7: Mar 4F **35**
Paget Ho. SL9: Chal P 1E **32**
(off Micholls La.)
Palliser Rd. HP8: Chal G 7B **24**
Pank Ridge Dr. HP16: P'wd 5J **5**
Parade, The SL8: Bour E 5C **36**
Parade Ct. SL8: Bour E 4C **36**
Parchment Cl. HP6: Amer 3J **15**
Parish Piece HP15: Holm G 6E **12**
Parker Knoll Way HP13: High W 6G **19**
Park Farm Rd. HP12: High W 5B **18**
Parkfield Av. HP6: Amer 3H **15**
Parkhouse Bus. Cen. HP12: High W 6E **18**
Park La. HP9: B'fld 6D **30**
HP15: Hazle .2C **20**
Park Pde. Cen., The HP15: Hazle 1C **20**
Park Pl. HP6: Amer 4F **15**
HP9: Seer G 2H **31**
Park Rd. HP5: Ches 4F **9**
HP6: Amer 3K **15**
Parkside HP14: Walt A 4B **10**
SL9: Ger X .2F **39**
Parkview HP10: Flack H 1D **36**
Parkview Cotts. HP7: Lit Mis 3A **14**
Park Vw. Ct. HP12: High W 6D **18**
Parkway SL7: Mar 4G **35**
Parkwood HP14: Walt A 3A **10**
Parliament Cl. HP16: P'wd 5H **5**
Parry Cotts. SL9: Chal P 1E **32**
(off Chesham La.)
PARSLOW'S HILLOCK 4A **4**
Parsonage Pl. HP13: High W 1J **27**
Parsonage Gdns. SL7: Mar 7E **34**
Parsonage Pl. HP7: Amer 7E **34**
Parsonage Rd. HP8: Chal G 7B **24**
Parsons Wlk. HP15: Holm G 7E **12**

Partridge Cl. HP5: Ches 1J **9**
Partridge Way HP13: Down 4C **18**
Passmore Edwards Ho. SL9: Chal P 2E **32**
Pastures, The HP13: Down 4D **18**
Patches Fld. SL7: Mar 3E **34**
Patterson Ct. HP10: Woo G 1G **37**
Patterson Rd. HP5: Ches 1F **9**
Pauls Hill HP10: Penn 7H **21**
Paul's Row HP11: High W 1H **27**
Pavilion Way HP6: Lit Chal 5C **16**
Peacock Rd. SL7: Mar 5G **35**
Pearce Rd. HP5: Ches 2F **9**
Pearman Ho. SL9: Chal P 1E **32**
(off Micholls La.)
Pear Tree Cl. HP7: Amer 5K **15**
HP9: Seer G 3G **31**
Pear Tree Cl. HP15: Holm G 7E **12**
Peatey Ct. HP13: High W 1K **27**
Peddle Cl. HP11: High W 7F **19**
PEDNOR BOTTOM 1B **8**
Pednor Bottom HP5: Ches 1K **7**
PEDNORMEAD END 5F **9**
Pednormead End HP5: Ches 5F **9**
Pednor Rd. HP5: Ches 2B **8**
Pendrill Ho. HP11: High W 7E **18**
(off Oakridge Rd.)
Penfold Cotts. HP15: Holm G 6F **13**
Penfold La. HP7: Lit Mis 6F **13**
HP15: Holm G 6F **13**
Pen Haven SL9: Ger X 2F **39**
Penington Rd. HP9: B'fld 7K **29**
Penmoor Cl. HP12: High W 6C **18**
PENN 7F **21**
PENN BOTTOM .5H **21**
Penn Cl. WD3: Chorl 3K **25**
Penn Gaskell La. SL9: Chal P 2F **33**
Penn Grn. HP9: B'fld 3B **30**
Penn Ho. SL9: Chal P 2E **32**
Pennington Rd. HP13: High W 1B **28**
SL9: Chal P .4D **32**
Penningtons, The HP6: Amer 3J **15**
Penn Rd. HP9: B'fld 7A **22**
HP15: Hazle .2C **20**
SL9: Chal P .5D **32**
PENN STREET 1J **21**
Penn Way WD3: Chorl 3K **25**
Pennwood Vw. HP7: Penn S 2J **21**
Penshurst Cl. SL9: Chal P 6D **32**
Pentlands, The HP13: High W 3C **28**
Pentlands Ct. HP13: High W 3C **28**
Penwood La. SL7: Mar 7C **34**
Peppard Mdw. HP16: P'wd 7K **5**
Pepys Dr. HP16: P'wd 6J **5**
Perch Cl. SL7: Mar 7C **34**
Percy Ter. HP8: Chal G 7A **24**
Peregrine Bus. Pk.
HP13: High W 2C **28**
Perks La. HP16: P'wd 2H **11**
Perth Rd. HP13: High W 5K **19**
Peterborough Av.
HP13: High W 7J **19**
Peterhill Cl. SL9: Chal P 2E **32**
Peterley La. HP16: P'wd 2K **11**
Peter's Cl. HP16: P'wd 6J **5**
Peters La. HP27: Par H, Whit 1A **4**
Pettifer Way HP12: High W 2D **26**
Pheasant Dr. HP13: Down 4C **18**
Pheasant Hill HP8: Chal G 6C **24**
Pheasant Ri. HP5: Ches 6H **9**
Pheasants Dr. HP15: Hazle 1D **20**
Pheasants Ridge SL7: Mar 1C **34**
Pheasant Wlk. SL9: Chal P 1D **32**
Philip Dr. HP10: Flack H 1E **36**
Philip Rd. HP13: High W 7K **19**
Phoenix Bus. Cen. HP5: Ches 3F **9**
(off Higham Rd.)
Phygtle, The SL9: Chal P 3E **32**
Piggotts End HP7: Amer 6F **15**
Piggott's Hill HP14: Nth D 3E **10**
Piggy La. WD3: Chorl 3H **25**
Pike Cl. SL7: Mar 7C **34**
Pilot Trad. Est.
HP12: High W 6E **18**
Pimms Cl. HP13: High W 1C **28**
Pimms Gro. HP13: High W 2C **28**
Pinchfield WD3: Map X 2K **33**
Pineapple Rd. HP7: Amer 5K **15**
Pine Chase HP12: Book 4B **26**
Pine Cl. HP15: Hazle 3D **20**

Pine Ct. HP5: Ches 4G 9
Pinecroft SL7: Mar 5D 34
Pine Hill HP15: Hazle 3B 20
Pinels Way HP11: High W 4E 26
Pines, The HP10: Tyl G 5D 20
Pines Cl. HP6: Amer 3F 15
   HP16: Gt M .1D 12
Pinetree Cl. SL9: Chal P 4C 32
Pine Wlk. HP15: Hazle 4D 20
Pinewood Cl. SL9: Ger X 4E 38
Pinewood Rd. HP12: High W 6C 18
Pinions Rd. HP13: High W 2A 28
Pinstone Way SL9: Ger X 6H 39
Pipers La. HP5: Ches 5J 11
Pipers Wood Cotts.
   HP7: Lit Mis 3A 14
Pitch Pond Cl. HP9: B'fld 2K 29
Plantation Rd. HP6: Amer 3J 15
   HP13: High W 7C 20
Plantation Way HP6: Amer 3J 15
Platt, The HP7: Amer 6F 15
Plomer Green Av. HP13: Down 4D 18
Plomer Grn. La. HP13: Down 2D 18
Plomer Hill HP13: Down 5D 18
Plumer Rd. HP12: High W 7E 18
Poles Hill HP5: Ches 2E 8
Polidoris La. HP15: Holm G 6E 12
Pollards WD3: Map X 2K 33
Pollardswood Grange
   HP8: Chal G 1D 24
Pomeroy Cl. HP7: Amer 6H 15
Pond Approach HP15: Holm G 7E 12
Pond Cl. HP7: Winch H 3A 22
Pond Cotts. SL9: Chal P 6D 32
Pond La. SL9: Chal P 5B 32
POND PARK 1F 9
Pond Pk. Rd. HP5: Ches 2F 9
Popes Cl. HP6: Amer 3K 15
Poplar Av. HP7: Amer 5K 15
Poplar Cl. HP5: Ches 1G 9
Poplar Cotts. HP5: Ches 5F 9
                         (off Amy La.)
Poplar Rd. HP10: Woo G 1G 37
Portland Gdns. SL7: Mar 7D 34
Portland Ho. HP13: High W 6K 19
Portland M. SL7: Mar 7D 34
Portland Pk. SL9: Ger X 3D 38
Portlands SL9: Ger X 3D 38
Portobello Cl. HP5: Ches 2E 8
Portway Dr. HP12: High W 5B 18
Post Office La. HP9: B'fld 4B 30
Potkiln La. HP9: Jord 7H 31
Potter Row HP16: Gt M 1D 6
Potters Cl. HP16: P'wd 5H 5
Potters Cross Cres.
   HP15: Hazle 4A 20
Pound Cres. SL7: Mar 7C 34
Pound La. SL7: Lit Mar 4J 35
   SL7: Mar 7C 34
Pratt Ho. HP6: Amer 4K 15
Preston Hill HP5: Ches 2H 9
PRESTWOOD 6J 5
Prestwood Cl. HP12: High W 6D 18
Prestwood Pl. HP16: P'wd 6J 5
Priestley Cl. HP13: High W 1K 27
Priests Paddock HP9: B'fld 2K 29
Primrose Grn. HP15: Wid E 7B 12
Primrose Hill HP15: Wid E 6B 12
Primrose Lea SL7: Mar 5D 34
Princes Ga. HP13: High W 1K 27
Princes Rd. SL8: Bour E 5E 36
Princess of Wales Ho.
   SL9: Chal P 1F 33
Prior Gro. HP5: Ches 3G 9
Priory Av. HP13: High W 6H 19
Priory Rd. HP13: High W 7H 19
   SL9: Chal P 7D 32
Priory Way SL9: Chal P 7D 32
Progress Rd. HP12: High W 7B 18
Prospect Rd. SL7: Mar 6C 34
Pretoria Rd. HP13: High W 6J 19
Puers Fld. HP9: Jord 3K 31
Puers La. HP9: Jord 3J 31
Pullfields HP5: Ches 3E 8
Pulpit Cl. HP5: Ches 2E 8
Pump La. HP5: Ches 6J 9
Pump La. Nth. SL7: Mar 1F 35
Pump La. Sth. SL7: Lit Mar 3G 35
Pump Mdw. HP16: Gt M 4C 6

Punch Bowl La. HP5: Ches 5G 9
Pursells Mdw. HP14: Nap 6C 10
Pyebush La. HP9: B'fld 7E 30

Q

Quadrangle, The HP13: High W 7A 20
Quadrant, The HP13: High W 5A 20
Quaker Hill HP5: Ches 3F 9
                  (off wesley Hill)
Quarrendon Rd. HP7: Amer 6H 15
Quarrydale Dr. SL7: Mar 6F 35
Quarry Wood SL6: Cook 7G 35
Quarry Wood Rd. SL7: Cook, Mar 7E 34
Quebec Rd. HP13: High W 1A 28
Queen Alexandra Rd. HP11: High W 1G 27
Queens Acre HP13: High W 1J 27
Queens Ct. HP13: High W 1J 27
Queens Head Cotts. HP7: Winch H 2C 22
Queensmead Ho. HP10: Loud 5D 28
Queensmead Rd. HP10: Loud 5E 28
Queen Sq. HP11: High W 7G 19
Queens Rd. HP5: Ches 3G 9
   HP13: High W 1J 27
   SL7: Mar 6D 34
Queen St. HP13: High W 7J 19
Queensway HP15: Hazle 2C 20
Queensway, The SL9: Chal P 1D 38
Queen Victoria Rd. HP11: High W 1H 27
Quickberry Pl. HP7: Amer 5H 15
Quickley Brow WD3: Chorl 3H 25
Quickley La. WD3: Chorl 3H 25
Quickley Ri. WD3: Chorl 3J 25
Quill Hall La. HP6: Amer 3K 15
Quoitings Dr. SL7: Mar 6C 34
Quoitings Gdns. SL7: Mar 6C 34
Quoiting Sq. SL7: Mar 6D 34

R

Raans Rd. HP6: Amer 4K 15
Rachels Way HP5: Ches 7H 9
                (off Cresswell Rd.)
Raeside Cl. HP9: Seer G 2G 31
Ragmans La. SL7: High W, Mar 7C 26
Ralphs Retreat HP15: Hazle 2B 20
Ramsey Vw. HP15: Hazle 3C 20
Ravenscourt SL7: Mar 5G 35
Ravenshoe Cl. SL8: Bour E 5C 36
Ravensmead SL9: Chal P 2F 33
Rawlings La. HP9: Seer G 7G 23
Raylands Mead SL9: Ger X 2C 38
Raymers Av. Mobile Home Pk.
   HP10: Loud 4E 28
Rayners Av. HP10: Loud 4D 28
Rayners Cl. HP10: Loud 4E 28
Rays La. HP10: Tyl G 5E 20
Razzaq Pl. HP12: High W 7E 18
                (off Lindsay Av.)
Recreation Rd. SL8: Bour E 5D 36
Rectory Av. HP13: High W 7J 19
Rectory Ct. HP7: Amer 6F 15
                (off Rectory Way)
   HP13: High W 2B 28
Rectory Gro. HP8: Chal G 6B 24
Rectory Hill HP6: Amer 5F 15
   HP7: Amer 5F 15
Rectory Way HP7: Amer 5F 15
Redding Dr. HP6: Amer 3E 14
Redgrave Rd. SL7: Mar 5F 35
Red Hill UB9: Den .6K 39
Red Ho. Cl. HP9: B'fld 3K 29
Redhouse Cl. HP11: High W 4E 26
REDLAND END 3A 4
Red Lion Cotts. HP7: Lit Mis 3J 13
Red Lion St. HP5: Ches 5F 9
Red Lion Way HP10: Woo G 2G 37
Redman Rd. HP12: Book 4B 26
Redshots Cl. SL7: Mar 4E 34
Redwood Cl. HP15: Hazle 3D 20
Redwood Pl. HP9: B'fld 6B 30
Regius Ct. HP10: Penn 5F 21
Rendlesham Way WD3: Chorl 3J 25
Rennie Cl. HP13: Down 5F 19
Repton Pl. HP7: Amer 5A 16
Retreat, The HP6: Lit Chal 5E 16
Revel Rd. HP10: Woo G 7F 29

Reyners Grn. HP16: Lit King 1D 12
Reynolds Cl. HP13: High W 6A 20
Reynolds Rd. HP9: B'fld 4A 30
Reynolds Wlk. HP5: Ches 1K 9
Reynold's Yd. HP5: Ches 5F 9
                (off Church St.)
Richard Gdns. HP13: High W 6A 20
Richmond Cl. HP6: Amer 4K 15
Richmond Ct. HP13: High W 7J 19
Rickmansworth La. SL9: Chal P 4E 32
Rickmansworth Rd. HP6: Amer 3G 15
Ridgemont End SL9: Chal P 2E 32
Ridge Way HP13: High W 5J 19
Ridgeway, The HP7: Amer 6H 15
   SL7: Mar 4E 34
   SL9: Chal P 7D 32
Ridgeway Cl. HP5: Ches 1F 9
   SL7: Mar 4E 34
Ridgeway Ho. HP6: Amer 3G 15
            (off Rickmansworth Rd.)
Ridgeway Rd. HP5: Ches 1E 8
Riding La. HP9: B'fld 4H 29
Ridings, The HP5: Lat 2D 16
   HP6: Amer 1H 15
Ridings Cotts. HP15: Holm G 7F 13
Rignall Rd. HP16: Gt M 3A 6
Riley Rd. SL7: Mar .6D 34
Ring Rd. HP10: Flack H 5B 28
Ripley Cl. HP13: Down 6G 19
Rise, The HP13: High W 3D 28
   HP15: Hazle .1C 20
Riverdale Ct. SL8: Bour E 7C 36
Rivermead Ct. SL7: Mar 7E 34
Riverpark Dr. SL7: Mar 7F 35
Riversdale SL8: Bour E 7D 36
Rivers Edge HP11: Wyc M 4C 28
Riverside HP5: Ches 6G 9
   SL7: Mar 7E 34
   SL8: Bour E .5D 36
Riverside Bus. Cen. HP11: High W 7F 19
Riverswood Gdns. HP13: High W 4D 28
               (off Laurel Dr.)
River Vw. HP10: Flack H 7D 28
Riverwood Av. SL7: Mar 7G 35
Riverwoods Dr. SL7: Mar 7G 35
Roberts La. SL9: Chal P 2G 33
Roberts Ride HP15: Hazle 7B 12
Roberts Rd. HP13: High W 6H 19
Roberts Wood Dr. SL9: Chal P 2F 33
Robertswood Lodge SL9: Chal P 3F 33
Robin Cl. HP15: Gt K 4K 11
Robins Cl. HP12: High W 4D 26
Robinson Rd. HP13: High W 3D 28
Robins Orchard SL9: Chal P 3E 32
Robinswood Cl. HP9: B'fld 2A 30
Robson Cl. SL9: Chal P 2E 32
Robson Ct. HP16: Gt M 4C 6
            (off Aylesham Rd.)
Rockingham Pl. HP9: B'fld 6D 30
Roebuck Av. HP13: High W 2B 28
Rolfe Cl. HP9: B'fld 6C 30
Roman Way SL8: Bour E 4C 36
            (not continuous)
Romsey Way HP11: High W 3H 27
Ronald Rd. HP9: B'fld 5D 30
Rookery Ct. SL7: Mar 6D 34
Rookery Mdw. HP15: Holm G 6E 12
Rook Rd. HP10: Woo G 4F 37
Rook Wood Way HP16: Gt M 7D 6
Roperies, The HP13: High W 1A 28
Rosary, The HP15: Holm G 6E 12
   SL8: Bour E .5C 36
Rose Av. HP15: Hazle 3C 20
Rosebery Av. HP13: High W 2A 28
Rose Bus. Est. SL7: Mar 6D 34
Rose Ct. HP6: Amer 3J 15
Rose Dr. HP5: Ches .5H 9
Rosemary Cl. HP12: High W 5B 18
Rosemary Ct. HP12: High W 5B 18
Rosery, The SL8: Bour E 5C 36
Rosetree Cl. HP16: P'wd 6J 5
Rosewood Gdns. HP12: High W 3C 26
Rossetti Pl. HP15: Holm G 6E 12
Roughwood Cft. HP8: Chal G 2D 24
Roughwood La. HP8: Chal G 4E 24
Roundheads End HP9: B'fld 3K 29
Roundwood Rd. HP12: High W 7C 18
Rouse Ct. SL9: Ger X 2F 39
Rowan Av. HP13: High W 6K 19

Rowan Cl. HP9: B'fld 6K 29
HP15: Hazle 3C 20
Rowan Cotts. HP16: Hyde H 5J 7
Rowan Pl. HP6: Amer 4K 15
HP12: Book 4C 26
Rowans, The SL9: Chal P 7D 32
Rowan Way HP5: Ches 3F 9
Rowliff Rd. HP12: High W 1C 26
Royle Cl. SL9: Chal P 4F 33
Ruckles Way HP7: Amer 6G 15
Rugby Ri. HP11: Wyc M 4C 28
Rugwood Rd. HP10: Flack H 6B 28
Runrig Hill HP6: Amer 1J 15
Rupert Av. HP12: High W 3E 26
Rushbrooke Cl. HP13: High W 4B 20
Rushburn HP10: Woo G 2H 37
Rushes, The SL7: Mar 7C 34
RUSHYMEAD DAY HOSPICE 2F 23
Rushmoor Av. HP15: Hazle 4D 20
RUSHYMEAD 2F 23
Russel Cl. HP14: Nap 5C 10
Russell Cl. HP6: Lit Chal 5D 16
HP10: Tyl G 5D 20
Russell Ct. HP5: Ches 2H 9
Russett Hill SL9: Chal P 7E 32
Russetts, The SL9: Chal P 6D 32
Rutland Av. HP12: High W 2C 26
Rutland Ct. HP11: High W 1G 27
Rutland St. HP11: High W 7G 19
Ryans Mt. SL7: Mar 6C 34
Rydal Way HP12: Book 2B 26
Rydinghurst Ho. SL9: Chal P 2E 32
Ryecroft Rd. HP5: Ches 5E 8
Ryemead Boulevard HP11: High W 3B 28
Ryemead Way HP11: High W 3B 28
Rye Vw. HP13: High W 7J 19

S

Sabina Cl. HP12: High W 1E 26
Saffron Ct. *HP13: High W* 1J 27
(off Saffron Ct.)
Saffron Rd. HP13: High W 1J 27
Sailing Club La. SL8: Bour E 5C 36
St Andrew's Cl. HP13: High W 5B 20
St Anns Ct. HP10: Loud 5E 28
St Anthonys Ct. HP7: Amer 7K 29
St Bernards Ct. *HP13: High W* 1J 27
(off Harlow Rd.)
St Birinus HP10: Flack H 5C 28
St Christophers Cl. HP16: Lit King 2D 12
St Christophers Ct. WD3: Chorl 1K 25
St George's Cl. HP13: High W 7K 19
St Georges Ct. HP12: High W 6D 18
St Georges Ind. Est. HP7: Amer 5K 15
St Giles Cl. HP8: Chal G 6G 25
St Giles Quadrant HP8: Chal G 5G 25
St Hilda's Way HP10: Flack H 5C 28
St Huberts Cl. SL9: Ger X 5E 38
St Hubert's La. SL9: Ger X 6F 39
St Hugh's Av. HP13: High W 1B 28
St James' Courtyard *SL7: Mar* 6E 34
(off Claremont Gdns.)
St Johns HP15: Hazle 4A 20
St John's Av. HP10: Tyl G 5D 20
St Johns Cl. HP10: Tyl G 5D 20
St Johns Rd. HP10: Tyl G 5D 20
HP15: Hazle 3B 20
St Josephs M. HP9: B'fld 5D 30
St Leonard's Rd. HP6: Amer 1J 15
St Margarets Cl. HP10: Penn 6E 20
St Margarets Gro. HP15: Gt X 4A 12
St Mary's Ct. HP7: Amer 6F 15
St Mary St. HP11: High W 1H 27
St Mary's Way HP5: Ches 4F 9
SL9: Chal P 6D 32
St Michael's Grn. HP9: B'fld 4C 30
St Nicholas St. HP7: Lit Chal 5B 16
St Peters Cl. HP11: Wyc M 6D 28
HP27: Speen 1C 10
St Peter's Ct. SL9: Chal P 5E 32
St Peter St. SL7: Mar 7E 34
St Peters Way WD3: Chorl 1H 25
Salisbury Cl. HP7: Amer 5J 15
Salisbury Rd. HP13: High W 5K 19
Salmons La. HP16: P'wd 6K 5
Saltash Cl. HP13: High W 3D 28

Salters Row HP10: Woo G 4J 37
Sampsons Hill HP7: Coles 4C 22
Sanctuary Rd. HP15: Hazle 1D 20
Sandels Way HP9: B'fld 3B 30
Sandelswood End HP9: B'fld 2B 30
Sandelswood Gdns. HP9: B'fld 3B 30
Sandford Gdns. HP11: High W 3H 27
Sandpits La. HP10: Penn 7E 20
SANDS 7B 18
Sands Ind. Est. HP12: High W 7A 18
Sandycroft Rd. HP6: Lit Chal 4C 16
Sandygate Cl. SL7: Mar 5D 34
Sandygate Rd. SL7: Mar 5D 34
Sandy Ri. SL9: Chal P 5E 32
Sarcus Dean SL9: Chal P 2F 33
Saunders End HP6: Hyde H 7A 8
Savill Way SL7: Mar 6F 35
Sawpit Hill HP15: Hazle 1C 20
Saxeway Bus. Cen. HP5: Ches 1C 8
Saxon Cl. HP6: Amer 4H 15
Sayward Cl. HP5: Ches 2H 9
Scholars Wlk. SL9: Chal P 3E 32
Scholars Way HP6: Amer 4H 15
School Cl. HP11: High W 3F 27
HP13: Down 4D 18
HP15: Cry H 7J 11
HP15: Holm G 6E 12
School La. HP7: Amer 5D 16
HP7: Penn S 1K 21
HP9: Seer G 3H 31
SL7: Lit Mar 3J 35
SL9: Chal P 6D 32
School Rd. HP10: Tyl G 5D 20
HP10: Woo G 2G 37
School Way HP11: Wyc M 5D 28
Schwarz Ho. HP5: Ches 5G 9
Scott Ho. *HP5: Ches* 2F 9
(off Pearce Rd.)
Scottswood Cl. HP9: B'fld 2B 30
Seagrave Rd. HP9: B'fld 3A 30
Second St. HP11: High W 3H 27
Sedgmoor Cl. HP10: Flack H 1C 36
Sedgmoor Gdns. HP10: Flack H 7C 28
Sedgmoor La. HP10: Flack H 1D 36
Seeleys Cl. HP9: B'fld 3A 30
Seeleys Ct. *HP9: B'fld* 4B 30
(off Orchard Cl.)
Seeleys Rd. HP9: B'fld 3A 30
Seeleys Wlk. HP9: B'fld 4A 30
SEER GREEN 3G 31
Seer Grn. La. HP9: Jord 3J 31
Seer Green Station (Rail) 4G 31
Seermead HP9: Seer G 3H 31
Selby Cotts. *HP16: Lit King* 2C 12
(off Hare La.)
Selwood Way HP13: Down 4E 18
Severalls Av. HP5: Ches 3G 9
Seymour Cl. HP10: Flack H 5B 28
Seymour Ct. La. SL7: Mar 3B 34
Seymour Ct. Rd. SL7: Mar 3C 34
Seymour Ho. HP12: High W 3E 26
Seymour Pk. Rd. SL7: Mar 5D 34
Seymour Plain SL7: Mar 3C 34
Seymour Rd. HP8: Chal G 1C 32
Shackleton Rd. HP12: High W 2D 26
Shaftesbury St. HP11: High W 4F 18
Shannon Ct. *HP5: Ches* 3G 9
(off Broadlands Av.)
Shantung Pl. *HP5: Ches* 6G 9
(off Moor Rd.)
Sharrow Va. HP12: High W 7E 18
Shaw Cl. HP16: P'wd 7K 5
Sheepcote Cl. HP9: B'fld 3A 30
Sheepcote Dell Rd. HP7: Bea E 6F 13
HP15: Holm G 6F 13
Sheepcote La. SL1: Burn 6J 37
Sheepfold La. HP7: Amer 5H 15
SHEEPRIDGE 1A 36
Sheepridge La. SL7: Lit Mar 1A 36
SHELBURNE BMI HOSPITAL, THE 1G 27
(within Wycombe Hospital)
Shelburne Ct. HP12: High W 3E 26
Shelburne Rd. HP12: High W 3E 26
Shelley Cl. HP10: Woo G 7G 29
Shelley Rd. HP5: Ches 2F 9
HP11: High W 1F 27
SL7: Mar 5F 35
Shepherds Ct. HP9: B'fld 6D 30

Shepherds Fold HP15: Holm G 6F 13
Shepherds Ga. HP16: Lit King 2C 12
Shepherds La. HP9: B'fld 6D 30
HP15: Hazle 1B 20
WD3: Chorl, Rick 3K 25
Shepherds Way HP5: Ches 6H 9
Sheraton Dr. HP13: High W 5K 19
Shields Ct. HP10: Tyl G 5D 20
Shiplake Ho. SL8: Bour E 4D 36
Ship St. HP11: High W 7G 19
Shire La. SL9: Chal P 7H 25
WD3: Chorl 5G 25
(not continuous)
Short St. HP11: High W 7F 19
Shortway HP5: Ches 2F 9
HP6: Amer 3H 15
Shrimpton Cl. HP9: B'fld 1B 30
Shrimpton Rd. HP9: B'fld 1B 30
HP12: Book 4B 26
Shrubbery Cl. HP13: High W 6H 19
Shrubbery Rd. HP13: High W 6H 19
SHRUBLANDS DAY HOSPITAL 1J 27
Sibleys Ri. HP16: Sth H 4F 7
Side Rd. UB9: Den 4K 39
Sidings, The HP11: Wyc M 4D 28
Sills Yd. HP5: Ches 4F 9
Silsden Cres. HP8: Chal G 7D 24
Silver Birch Cvn. Pk. HP14: Walt A 4B 10
Silverdale Cl. HP10: Tyl G 5C 20
Silver Hill HP8: Chal G 6B 24
Sixth St. HP11: High W 3J 27
Sixty Acres Rd. HP16: P'wd 7J 5
Skelton Cl. HP9: B'fld 7J 29
Skimmers Cl. HP15: Holm G 7E 12
Skimmers End HP15: Holm G 7E 12
Skimmers Fld. HP15: Holm G 7E 12
Skylark Rd. UB9: Den 5J 39
Slade Oak La. SL9: Den, Ger X 7H 33
UB9: Den 2J 39
Slad La. HP27: L Grn, Speen 1A 10
Sly Corner HP16: Lee C 1G 7
Smalldean La. HP27: L Grn 2A 10
Snakeley Cl. HP10: Loud 6E 28
Snells La. HP7: Lit Chal 6B 16
Snells Wood Ct. HP7: Lit Chal 6C 16
Snowdrop Way HP15: Wid E 6B 12
Soane Ho. *HP7: Amer* 5A 16
(off Repton Pl.)
Soane Wlk. HP13: Down 6G 19
Soho Cres. HP10: Woo G 4F 37
Soho Mills Ind. Est. HP10: Woo G 4F 37
Somerford Pl. HP9: B'fld 3B 30
Southbourne HP13: High W 7J 19
Southbourne Dr. SL8: Bour E 5C 36
SOUTH BUCKS HOSPICE 6J 19
Southcliffe Dr. SL9: Chal P 2E 32
Southcote Way HP10: Tyl G 5C 20
South Dr. HP9: B'fld 7K 29
HP13: High W 6K 19
Southfield Dr. HP15: Hazle 7C 12
Southfield Rd. HP10: Flack H 6C 28
HP13: Down 5D 18
SOUTH HEATH 4F 7
South Maundin HP14: Hugh V 5G 11
South Pk. SL9: Ger X 2F 39
South Pk. Ct. *SL9: Ger X* 2F 39
(off South Pk.)
South Pk. Cres. SL9: Ger X 1E 38
South Pk. Dr. SL9: Ger X 1E 38
South Pk. Vw. SL9: Ger X 1F 39
South Pl. SL7: Mar 7E 34
South Rd. HP6: Amer 2G 15
WD3: Chorl 2J 25
South Side SL9: Chal P 7D 32
South Vw. HP13: Down 4D 18
South Vw. Rd. SL9: Chal P 1D 38
Southview Rd. SL7: Mar 4E 34
South Way HP9: B'fld 7J 29
Sovereign Ct. HP13: High W 1K 27
Spade Oak Mdw. SL8: Bour E 4A 36
Spade Oak Reach SL6: Cook 7J 35
Spearing Rd. HP12: High W 1C 26
SPEEN 1C 10
Speen Rd. HP14: Hugh V, Nth D 4E 10
HP27: Speen 1D 10
Spindle Ct. HP15: Hazle 3C 20
Spindle Cl. HP12: High W 7E 18
Spinfield La. SL7: Mar 7B 34
Spinfield La. W. SL7: Mar 7C 34

Spinfield Mt. SL7: Mar 7B 34
Spinfield Pk. SL7: Mar 7C 34
Sping Copse HP12: Book 2A 26
Spinners Wlk. SL7: Mar 7C 34
Spinney, The HP5: Ches 2H 9
  HP9: B'fld 7B 30
  HP11: High W 3F 27
  HP15: Holm G 6F 13
  SL9: Ger X 5D 38
Spinney Pl. HP7: Amer 5H 15
Spital St. SL7: Mar 6D 34
Spring Cl. HP5: Lat 2D 16
  HP13: High W 7B 20
Spring Coppice La.
  HP27: Speen .1D 10
Springett Pl. HP6: Amer 3K 15
Springfield Cl. HP5: Ches 5G 9
Springfield Rd. HP5: Ches 6G 9
Springfields HP6: Amer 3G 15
Spring Gdns. HP10: Woo G 7G 29
  SL7: Mar 5E 34
  SL8: Bour E 4C 36
Spring Gardens Arts Cen. 1K 27
Spring Gdns. Rd. HP13: High W 2A 28
Spring La. HP10: Flack H, Wyc H 5B 28
Spring Valley Rd. HP14: Hugh V 6G 11
Springwater Mill HP11: High W 3A 28
Spruce Dene HP15: Hazle 4B 20
SPURLANDS END 5C 12
Spurlands End Rd. HP15: Gt K 4A 12
Square, The HP16: Gt M 5D 6
Squirrel La. HP12: Book 3B 26
Squirrel Ri. SL7: Mar 2D 34
Stable La. HP9: Seer G 3G 31
Stables Ct. SL7: Mar 7B 34
Stacey's Ct. HP8: Chal G 6C 24
Stag La. HP15: Gt K 4K 11
  WD3: Chorl 3J 25
Stanley Av. HP7: Amer 5H 15
Stanley Cl. SL7: Mar 5F 35
Stanley Hill HP7: Amer 6H 15
Stanley Maude Ho. SL9: Chal P 1E 32
                  (off Micholls Av.)
Stanley Rd. HP5: Ches 4F 9
  HP12: High W 7B 18
Stanstead Pl. HP7: Amer 5G 15
Stapleton Cl. SL7: Mar 4F 35
Startins La. SL6: Cook 7J 35
Station App. HP6: Amer 4G 15
  HP7: Lit Chal 5D 16
  HP13: High W 7H 19
  HP16: Gt M 5C 6
  SL7: Mar 6F 35
  SL9: Ger X 2E 38
  UB9: Den 4K 39
  WD3: Chorl 1K 25
Station Ct. HP7: Amer 4G 15
                  (off The Avenue)
Station Pde. HP9: B'fld 4B 30
Station Ri. SL7: Mar 6E 34
Station Rd. HP5: Ches 4G 9
  HP6: Amer 4G 15
  HP7: Amer 4G 15
  HP9: B'fld 4B 30
  HP10: Loud 5E 28
  HP13: High W 1J 27
  SL7: Mar 7E 34
  SL8: Bour E 5C 36
  SL9: Ger X 2E 38
Station Sq. HP6: Amer 4G 15
                  (off Station App.)
Stephenson Cl. HP13: Down 5F 19
Stevens Cl. HP15: Holm G 6D 12
  HP16: P'wd 7K 5
Stevens Ho. HP7: Amer 6F 15
Stewarts Way SL7: Mar 7D 24
Stile Mdw. HP9: B'fld 4C 30
Stirling Ho. HP13: High W 7B 20
Stirling Rd. HP12: High W 2D 26
Stock Fld. Cl. HP15: Hazle 3D 20
Stocking La. HP14: Nap 6D 10
Stocklands Way HP16: P'wd 7K 5
Stockport Rd. WD3: Heron 4J 25
STOKE COMMON 7A 38
Stokesly Ri. HP10: Woo G 7G 29
Stoke Wood SL2: Sto P 7A 38
Stonecroft HP6: Hyde H 1A 14
Stonefield Rd. HP14: Nap 5C 10
Stone Ho. La. SL6: Cook 7J 35

Stones Courtyard HP5: Ches 4G 9
                   (off High St.)
Stoneyfield SL9: Ger X 5C 38
Stoney Gro. HP5: Ches 3H 9
STONY GREEN .1G 11
Stony La. HP6: Lit Chal 4E 16
  HP16: Lit King 2E 12
Straight Bit HP10: Flack H 7C 28
Stratford Dr. HP10: Woo G 4E 36
Strathcona Cl. HP10: Flack H 1E 36
Strathcona Way HP10: Flack H 1E 36
Stratton Pl. HP7: Amer 5K 15
Stratton Rd. HP9: B'fld 5K 29
Strawberry Cl. HP16: P'wd 7K 5
Streeton Pl. HP6: Amer 4K 15
Stretton Cl. HP10: Tyl G 6D 20
Stringers Cotts. SL9: Chal P 5D 32
                   (off The Vale)
Stuart Ct. HP6: Amer 4H 15
            (off King George V Rd.)
Stuart Rd. HP13: High W 1J 27
Stubbs End Cl. HP6: Amer 2J 15
Stubbs Wood HP6: Amer 2J 15
Studridge La. HP27: Speen 7B 4
Stumpwell La. HP10: Penn 7F 21
Stylecroft Rd. HP8: Chal G 6D 24
Suffield Rd. HP11: High W 7F 19
Sunningdale Cl. HP12: Book 2B 26
Sunny Bank HP15: Wid E 7B 12
Sunnybank SL7: Mar 4D 34
Sunnycroft HP13: Down 4C 18
Sunnyhill Rd. WD3: West H 3K 33
Sunnymede Av. HP5: Ches 1J 9
Sunnyside Rd. HP5: Ches 3F 9
Sunters Wood Cl. HP12: Book 2B 26
Susan Edwards Ho. SL9: Chal P 1E 32
                (off Chesham La.)
Sussex Cl. HP8: Chal G 6B 24
  HP13: High W 5K 19
Sussex Pl. SL9: Chal P 3E 32
                 (off Gravel Hill)
Sutmers Ct. HP8: Chal G 1K 31
Swains La. HP10: Flack H 6C 28
Swallow Dr. HP15: Hazle 1D 20
Swan Cl. HP5: Ches 1F 9
SWILLET, THE 3H 25
Sycamore Cl. HP6: Amer 3H 15
  HP8: Chal G .7A 24
  SL8: Bour E 5D 36
Sycamore Cnr. HP6: Amer 3H 15
              (off Sycamore Rd.)
Sycamore Ct. HP12: Book 3C 26
Sycamore Dene HP5: Ches 1H 9
Sycamore Dr. SL7: Mar 3D 34
Sycamore Ho. HP6: Amer 3H 15
              (off Woodside Rd.)
Sycamore Pl. HP6: Amer 4G 15
                (off Station Rd.)
Sycamore Ri. HP8: Chal G 7A 24
Sycamore Rd. HP6: Amer 3G 15
  HP8: Chal G .7A 24
  HP12: Book .3C 26
Sycamore Way HP15: Hazle 3C 20
Sylvia Cl. HP16: Gt M 1D 12

T

Talbot Av. HP13: Down 4C 18
Tall Oaks HP6: Amer 3H 15
Tamar Cl. HP13: High W 3D 28
Tancred Rd. HP13: Down 5G 19
Tannery Ind. Est. HP13: High W 3C 28
Tannery Rd. HP13: High W 3C 28
Taplin Way HP10: Tyl G 6D 20
Tate Ho. SL9: Chal P 1F 33
Tate Rd. SL9: Chal P 2F 33
TATLING END 5H 39
Tavistock M. HP12: High W 7E 18
Taylor's Cl. SL7: Mar 6F 35
Taylors La. HP7: Lit Miss 2J 13
Taylors Rd. HP5: Ches 2H 9
Taylors Turn HP13: Down 3D 18
Telford Way HP13: Down 5F 19
Telston Cl. SL8: Bour E 3C 36
Templars Pl. SL7: Mar 7E 34
Temple End HP13: High W 7G 19
Temple Orchard HP13: High W 6H 19

Temple St. HP11: High W 7G 19
Templewood HP14: Walt A 5B 10
Tennyson Rd. HP11: High W 2G 27
Tenzing Dr. HP13: High W 1A 28
TERRIERS 4K 19
Terrington Hill SL7: Mar 6B 34
Terry Orchard HP13: High W 6J 19
Terry Rd. HP13: High W 6J 19
Terry's La. SL6: Cook 7A 36
Tetherdown HP16: P'wd 7J 5
                  (off Lodge La.)
Thamesbourne M. SL8: Bour E 5C 36
                 (off Station Rd.)
Thames Cl. SL8: Bour E 4C 36
Thamesfield Gdns. SL7: Mar 7E 34
Thames Ind. Est. SL7: Mar 6F 35
Thanestead Copse HP10: Loud 5E 28
Thanestead Ct. HP10: Loud 5E 28
Thicket, The HP10: Tyl G 5C 20
Third Av. SL7: Mar 6G 35
Third St. HP11: High W 3H 27
Thomas Rd. HP10: Woo G 4F 37
Thornaby Pl. HP10: Woo G 7G 29
Thornhill Cl. HP7: Amer 6F 15
Three Gables HP9: B'fld 5C 30
THREE HOUSEHOLDS 1K 31
Three Households HP8: Chal G 1K 31
Thrush Cl. HP12: Book 3C 26
Tichborne Cl. WD3: Map X 2K 33
Tierney Ct. SL7: Mar 7E 34
Tilburywood Cl. HP13: Down 4C 18
Tilecotes Cl. SL7: Mar 6D 34
Tilehouse La. UB9: Den 5K 33
  WD3: West H 5K 33
Tilling Cres. HP13: High W 7C 20
Tilsworth Rd. HP9: B'fld 6A 30
Tinkers Wood Rd. HP13: Down 5E 18
Toby's La. HP7: Bea E 6H 13
                (not continuous)
Todd Cl. HP15: Holm G 7D 12
Tom Evans Ct. HP13: High W 6H 19
Tom Scott Ho. HP5: Ches 2F 9
                  (off Pearce Rd.)
Toms Turn HP15: Hazle 1B 20
Top Farm Cl. HP9: B'fld 6J 29
Topland Rd. SL9: Chal P 4D 32
Topnotch Health Cen.
  Chesham 6F 9
Top Pk. SL9: Ger X 3C 38
Tottenhoe La. HP13: High W 5A 20
TOTTERIDGE 6A 20
Totteridge Av. HP13: High W 7K 19
Totteridge Dr. HP13: High W 6A 20
Totteridge La. HP13: High W 4A 20
Totteridge Pde. HP13: High W 6A 20
Totteridge Rd. HP13: High W 7H 19
Tourist Info. Cen.
  Amersham Old Town 6F 15
Tower Cl. HP10: Flack H 1E 36
Toweridge La. HP12: High W 6C 18
  HP14: West W 6A 18
Tower Rd. HP7: Coles 2E 22
Towers Lea HP13: High W 7J 19
Town Bri. Ct. HP5: Ches 5F 9
Town End Ct. HP16: Gt M 5C 6
Townfield HP5: Ches 5G 9
Townfield La. HP8: Chal G 7C 24
Townfield Rd. HP13: High W 7J 19
Town La. HP10: Woo G 4F 37
Townsend Rd. HP5: Ches 3F 9
Trafford Cl. HP16: Gt M 6C 6
Trafford Rd. HP16: Gt M 5C 6
Trapp's Ct. HP5: Ches 6G 9
Trapp's La. HP5: Ches 5H 9
                    (Rose Dr.)
  HP5: Ches 6G 9
                  (Waterside)
Treacher's Cl. HP5: Ches 4F 9
Treadaway Bus. Cen. HP10: Loud 6E 28
Treadaway Hill
  HP10: Flack H, Loud 6D 28
Treadaway Rd. HP10: Flack H 7D 28
Trees Av. HP14: Hugh V 7G 11
Trees Rd. HP14: Hugh V 7F 11
  SL8: Bour E 5D 36
Tree Tops SL9: Chal P 2E 32
Trinity Av. SL7: Mar 5D 34
Trinity Ct. HP5: Ches 5G 9
               (off Punch Bowl La.)

Trinity Rd. HP15: Hazle 3B 20
  SL7: Mar 6D 34
Tripps Hill Cl. HP8: Chal G 7A 24
Trout Cl. SL7: Mar .7C 34
Tucker Cl. HP13: High W 6J 19
Tuckers Dr. HP15: Holm G 6E 12
Tudor Ct. HP6: Amer 4H 15
  (off King George V Rd.)
Tudor Dr. HP10: Woo G 7F 29
Tudor Mill HP10: Woo G 2G 37
Tudor Pk. HP6: Amer 3H 15
Tudor Rd. HP15: Hazle 3E 20
Tulkers Cl. HP16: P'wd 7K 5
Tunmere Ct. SL9: Chal P 5C 32
  (off Narcot La.)
Tunmere Ho. SL9: Chal P 5C 32
  (off Narcot La.)
Turners Dr. HP13: High W 6A 20
Turners Fld. HP13: Down 3E 18
Turners Pl. HP15: Holm G 7E 12
Turners Way HP5: Ches 3G 9
Turneys Orchard WD3: Chorl 2K 25
Turnpike Rd. HP12: High W 3C 26
Turnpike Way HP12: High W 3C 26
Twitchell Rd. HP16: Gt M 5C 6
Twitchell's La. HP9: Jord 2K 31
Tylers Cres. HP15: Hazle 4D 20
TYLERS GREEN 5D 20
TYLER'S HILL 4K 9
Tylers Hill Rd. HP5: Ches 3K 9
Tylers Rd. HP15: Hazle 4D 20
Tylsworth Cl. HP6: Amer 4H 15
Tyzack Rd. HP13: High W 5B 20

U

Ufton Ct. Yd. SL8: Bour E 4D 36
Underwood Rd. HP13: High W 7K 19
Union St. HP11: High W 7G 19
Up Corner HP8: Chal G 6B 24
Up Corner Cl. HP8: Chal G 6B 24
Upland Av. HP5: Ches 1F 9
Uplands SL7: Mar 2D 34
Uplands, The SL9: Ger X 5E 38
Uplands Cl. HP13: High W 6A 20
  SL9: Ger X 5E 38
Uplands Ct. HP5: Ches 3G 9
Up. Belmont Rd. HP5: Ches 1F 9
Upper Dr. HP9: B'fld 2B 30
Up. George St. HP5: Ches 3G 9
Up. Gladstone Rd. HP5: Ches 3G 9
Up. Green St. HP11: High W 7E 18
Upper Hollis HP16: Gt M 5A 6
Up. Lodge La. HP15: Hazle 7B 12
Upper Mdw. HP5: Ches 3F 9
UPPER NORTH DEAN 3D 10
Up. Riding HP9: B'fld 6K 29
Upper Rd. UB9: Den 4K 39
Upside Ho. HP7: Amer 4K 15
Upway SL9: Chal P .5F 33

V

Vache La. HP8: Chal G 6C 24
Vache M. HP8: Chal G 5D 24
Vale, The SL9: Chal P 5D 32
Vale Cl. SL9: Chal P 5D 32
Valentine Way HP8: Chal G 7D 24
Vale Ri. HP5: Ches 1G 9
Vale Rd. HP5: Ches .1G 9
Valley Cen., The HP13: High W 1J 27
Valley Rd. HP14: Hugh V 6G 11
Valley Vw. HP5: Ches 2E 8
Valley Way SL9: Ger X 3C 38
Vanguard Cl. HP12: High W 7D 18
Verney Av. HP12: High W 3D 26
Verney Cl. SL7: Mar 6D 34
Vicarage Cl. HP9: Seer G 4G 31
Vicarage Way SL9: Ger X 3F 39
Victoria Ct. HP11: High W 6F 19
Victoria Gdns. HP11: High W 3F 27
  SL7: Mar 6E 34
Victoria Ho. SL9: Chal P 1E 32
  (off Micholls Av.)
Victoria Rd. HP5: Ches 4G 9
  SL7: Mar 6E 34

Victoria St. HP11: High W 7F 19
Victor Lay Pl. HP11: Wyc M 3B 28
Village Rd. HP7: Coles 4D 22
Village Way HP7: Lit Chal 6D 16
Vincents Way HP14: Nap 7D 10
Vine Cl. HP15: Hazle 3C 20
Vine Cotts. SL9: Chal P 3E 32
  (off Gravel Hill)
Vineyard Dr. SL8: Bour E 3C 36

W

Waborne Rd. SL8: Bour E 4D 36
Wakeman Rd. SL8: Bour E 5C 36
Waldens Cl. SL8: Bour E 5C 36
Walkham Cl. HP13: High W 3D 28
Walkwood End HP9: B'fld 6A 30
Walkwood Ri. HP9: B'fld 7A 30
Wallace Cl. SL7: Mar 4F 35
Waller Rd. HP9: B'fld 5D 30
Wallingford Gdns. HP11: High W 3H 27
Wallington Rd. HP5: Ches 3F 9
Walnut Cl. HP16: Gt M 5C 6
Walnut Gro. HP10: Woo G 2G 37
Walnut Tree Cl. HP12: High W 6B 18
Walnut Tree Ct. SL8: Bour E 6D 36
Walnut Way HP6: Hyde H 1A 14
  SL8: Bour E 6D 36
Walsingham Ga. HP11: High W 3G 27
WALTER'S ASH 4C 10
Walton Cl. HP13: High W 5A 20
Walton Dr. HP13: High W 5K 19
Wannions Cl. HP5: Ches 3K 9
Wapseys La. SL2: Hedge 4A 38
Wardes Cl. HP16: P'wd 7J 5
Ward Pl. HP7: Amer 6F 15
Warren, The HP5: Ches 1C 8
  HP15: Hazle 1C 20
  SL9: Chal P 4F 33
Warrendene Rd. HP14: Hugh V 5G 11
Warrender Rd. HP5: Ches 2J 9
Warren Wood Dr. HP11: High W 2J 27
Warwick Av. HP12: Book 1B 26
Warwick Cl. HP9: B'fld 4B 30
Warwick Ho. HP13: High W 7B 20
  (off Gayhurst Rd.)
Warwick Rd. HP9: B'fld 4B 30
Wash Hill HP10: Woo G 4G 37
Wash Hill Lea HP10: Woo G 4F 37
Washington Ct. SL7: Mar 5G 35
Washington Row HP7: Amer 6G 15
Watchet La. HP16: Lit King 3E 12
Water Gdns., The HP5: Ches 4A 20
Waterglades, The HP9: B'fld 1A 30
Water La. HP27: Speen 1C 10
Water Mdw. HP5: Ches 5F 9
WATERSIDE 5G 9
Waterside HP5: Ches 5G 9
  HP10: Woo G 1G 37
Waterside Ct. HP5: Ches 5G 9
  (off Waterside)
Watery La. HP10: Woo G 6G 29
Watlington Ct. HP16: Gt M 4C 6
Wattleton Rd. HP9: B'fld 7A 30
Wavell Rd. HP9: B'fld 6F 31
Wayside HP13: High W 7K 19
  HP27: Speen 1C 10
Wayside Cl. HP6: Amer 4G 15
  (off Chesham Rd.)
Wayside Gdns. SL9: Ger X 4D 38
Weathercock Gdns. HP15: Holm G 6E 12
Webb Cl. HP5: Ches .3F 9
Wedgwood Dr. HP14: Hugh V 7G 11
Weedon Cl. SL9: Chal P 5B 32
Weedon Hill HP6: Hyde H 7A 8
Weedon La. HP6: Amer 2E 14
Welders La. HP9: Jord 4K 31
  SL9: Chal P 4K 31
WELL END 3C 36
Weller Cl. HP6: Amer 3J 15
Weller Rd. HP6: Amer 3J 15
Wellesbourne Grn. HP13: High W 4K 19
Wellfield HP15: Hazle 3D 20
Wellhouse Way HP14: Nap 7E 10
Wellington Pl. HP12: High W 7G 19
Wendover Rd. SL8: Bour E 4C 36
Wendover St. HP11: High W 7F 19

Wendover Way HP11: High W 1H 27
Wentworth Cl. HP13: High W 6J 19
Wentworth Pl. HP5: Ches 6G 9
  (off Waterside)
Wesley Dene HP13: High W 7H 19
Wesley Hill HP5: Ches 3F 9
Wessex Rd. SL8: Bour E 6D 36
Wessex Rd. Ind. Est. SL8: Bour E 6D 36
West Acres HP7: Amer 6H 15
Westanley Av. HP7: Amer 5H 15
West Av. HP10: Tyl G 5E 20
Westbourne St. HP11: High W 7F 19
West Comn. SL9: Ger X 2D 38
  (not continuous)
West Comn. Cl. SL9: Ger X 2E 38
West Ct. HP13: Down 3D 18
Westdean La. HP5: Chart 1A 8
West Dr. HP13: High W 6K 19
West End Rd. HP11: High W 7F 19
West End St. HP11: High W 7F 19
Western Dene HP15: Hazle 7C 12
Western Dr. HP10: Woo G 3G 37
Westfield HP6: Hyde H 1A 14
Westfield Rd. HP9: B'fld 6A 30
Westfield Wlk. HP12: High W 1D 26
Westgate Cl. HP13: High W 3C 28
Westhorpe Rd. SL7: Mar 5F 35
WEST HYDE 4K 33
W. Hyde La. SL9: Chal P 4F 33
Westminster Cl. HP11: High W 3H 27
Westmount Av. HP7: Amer 5G 15
Westover Cl. HP13: Down 5D 18
Westover Rd. HP13: Down 5D 18
W. Richardson St. HP11: High W 7F 19
Westrick Wlk. HP16: P'wd 7K 5
  (off Lodge La.)
West Ridge SL8: Bour E 4D 36
West St. SL7: Mar 7C 34
West Vw. HP5: Ches .2H 9
West Way HP9: B'fld 6H 29
West Waye HP13: High W 4J 19
Westwood HP12: Book 4B 26
Westwood Cl. HP6: Lit Chal 5D 16
Westwood Dr. HP6: Lit Chal 5D 16
Westwood Rd. SL7: Mar 7C 34
WEST WYCOMBE 4A 18
W. Wycombe Hill Rd. HP14: West W 4A 18
West Wycombe House 5A 18
W. Wycombe Rd. HP11: High W 4B 18
  HP12: High W 4B 18
Wethered Pk. SL7: Mar 7D 34
Wethered Rd. SL7: Mar 6D 34
Wharf La. SL8: Bour E 5C 36
Wheatley Way SL9: Chal P 3E 32
Wheeler Av. HP10: Tyl G 6E 20
Wheelers Flats HP10: Tyl G 6F 21
  (off Church La.)
Wheelers Orchard SL9: Chal P 3E 32
Wheelers Pk. HP13: High W 7K 19
Wheelers Yd. HP16: Gt M 5D 6
  (off Church St.)
Whichcote Gdns. HP5: Ches 6H 9
Whichert Cl. HP9: B'fld 2A 30
Whielden Cl. HP7: Amer 6F 15
Whielden Ga. HP7: Winch H 2C 22
Whielden Grn. HP7: Amer 6F 15
Whielden Hgts. HP7: Amer 6E 14
Whielden La. HP7: Winch H, Amer 3A 22
Whielden St. HP7: Amer 7F 15
Whincup Cl. HP11: High W 3F 27
Whinneys Rd. HP10: Loud 4E 28
White Cl. HP13: Down 5D 18
Whitefield Cl. HP16: Gt M 6C 6
White Hart Cl. HP8: Chal G 7A 24
White Hart Mdw. HP9: B'fld 6C 30
White Hart St. HP11: High W 7G 19
White Hill HP5: Ches 4G 9
  HP10: Woo G 6G 29
  HP14: Hugh V 4H 19
Whitehill Cl. SL7: Mar 2C 34
White Ho. Cl. SL9: Chal P 4E 32
Whitehouse Cl. HP10: Woo G 6G 29
Whitehouse La. HP10: Woo G 6G 29
Whitelands Av. WD3: Chorl 7H 17
Whitelands Rd. HP12: High W 1D 26
White Lion Cl. HP7: Amer 5A 16
White Lion Rd. HP7: Amer, Lit Chal 4K 15
White Lodge Cl. SL7: Mar 2C 34
Whitepit La. HP10: Flack H 1E 36

Whitfield Rd. HP14: Hugh V 7G 11
Whitle Hill Cl. HP5: Ches 3G 9
Widmere Fld. HP16: P'wd 7J 5
Widmere La. SL7: Mar 2A 34
WIDMER END 7A 12
WIDMOOR 5G 37
Wilfridswood Cl. HP10: Flack H 2D 36
William Moulder Ct. HP5: Ches 1F 9
William Shakman Ho. HP8: Chal G 6B 24
                   (off School La.)
Willington Ct. HP9: B'fld 6C 30
Willoughby's Wlk. HP13: Down 4D 18
Willow Bank SL7: Mar 3D 34
Willow Chase HP5: Ches 3F 9
   HP15: Hazle 3A 20
Willow Cl. HP10: Flack H 2E 36
   SL9: Chal P 6E 32
Willow Ct. HP11: High W 3A 28
   HP14: Nap 5C 10
Willow La. HP7: Amer 7K 15
Willowmead Cl. SL7: Mar 5F 35
Willowmead Gdns. SL7: Mar 5F 35
Willowmead Rd. SL7: Mar 5F 35
Willowmead Sq. SL7: Mar 5F 35
Willows, The HP6: Amer 1F 15
Willows Rd. SL8: Bour E 5D 36
Willow Wlk. HP15: Hazle 3C 20
Willow Way HP11: Wyc M 5D 28
Wilton Cres. HP9: B'fld 4C 30
Wilton La. HP9: Jord 4H 31
                (not continuous)
WILTON PARK 6F 31
Wilton Rd. HP9: B'fld 3C 30
Wiltshire Rd. SL7: Mar 3F 35
Winchbottom La. HP10: High W 5E 26
   SL7: Lit Mar 1H 35
Winchester Cl. HP7: Amer 5J 15
Winchester Ct. HP11: Wyc M 4D 28
WINCHMORE HILL 4A 22
Windermere Cl. WD3: Chorl 2K 25
Windmill Dr. HP15: Wid E 7B 12
Windmill Hill HP7: Coles 4D 22
Windmill La. HP15: Wid E 7A 12
Windmill Rd. SL9: Chal P 4D 32
Windmill Wood HP6: Amer 3E 14
Windrush Ct. HP13: High W 1B 28
Windrush Dr. HP13: High W 1B 28
Windrush Ho. SL8: Bour E 4C 36
Windsor Ct. HP6: Amer 4H 15
        (off King George V Rd.)
   HP11: Wyc M 4D 28
Windsor Cres. HP10: Loud 5E 28
Windsor Dr. HP13: High W 5K 19
Windsor End HP9: B'fld 6D 30
Windsor Hill HP10: Woo G 3G 37
Windsor La. HP16: Lit King 3C 12
Windsor Rd. HP5: Ches 1F 9
   SL2: Sto P 7A 38
   SL9: Ger X 5B 38
Wingate Av. HP13: High W 7A 20
Wingate Cl. HP13: High W 7A 20
Wing Cl. SL7: Mar 7C 34
Winkers Cl. SL9: Chal P 5F 33
Winkers La. SL9: Chal P 5F 33
Winslow Fld. HP16: Gt M 4B 6

Winslow Gdns. HP13: High W 7C 20
Winstone Cl. HP6: Amer 7F 9
Winston Ho. HP11: Wyc M 3C 28
Winter Hill SL6: Cook 7H 35
Winters Way HP15: Holm G 6F 13
Witheridge La. HP9: B'fld 7H 21
   HP10: Penn 7H 21
WOOBURN 4F 37
WOOBURN COMMON 5K 37
Wooburn Comn. Rd. HP10: Woo G 4J 37
   SL1: Burn 6K 37
Wooburn Grange HP10: Woo G 5F 37
WOOBURN GREEN 1H 37
Wooburn Grn. La. HP9: B'fld 1J 37
Wooburn Mead HP10: Woo G 2G 37
Wooburn Mnr. Pk. HP10: Woo G 3G 37
Wooburn M. HP10: Woo G 3G 37
WOOBURN MOOR 6G 29
Woodbank Av. SL9: Ger X 3D 38
Woodbank Dr. HP8: Chal G 7D 24
Wooburn Mead HP10: Woo G 2G 37
Woodbury Cl. SL8: Bour E 5E 36
Woodchester Pk. HP9: B'fld 1A 30
WOODCOCK 5C 10
Woodcock Avenue HP14: Walt A 5B 10
Woodcote Grn. HP13: Down 4D 18
Woodcote Lawns HP5: Ches 1K 9
Woodcroft Rd. HP5: Ches 1H 9
Woodfield Pk. HP6: Amer 3E 14
Woodhill Av. SL9: Ger X 3G 39
Woodhill Ct. HP6: Amer 3H 15
               (off Shortway)
   SL9: Ger X 4E 38
Woodland Cl. HP12: Book 1C 26
   SL7: Mar 4E 34
Woodland Ct. HP6: Amer 1H 15
Woodland La. WD3: Chorl 7K 17
Woodland Rd. WD3: Map X 2K 33
Woodlands SL9: Ger X 3F 39
Woodlands, The HP6: Amer 1G 15
   HP10: Tyl G 3B 20
Woodlands Cl. HP15: Holm G 7E 12
   SL9: Ger X 3G 39
Woodlands Dr. HP9: B'fld 3A 30
   HP14: Nap 5C 10
Woodlands Glade HP9: B'fld 3A 30
Woodlands Vw. HP13: High W 7C 20
Woodland Vw. HP5: Ches 5H 9
Woodland Way SL7: Mar 4E 34
Wood La. HP16: Sth H 4G 7
Wood La. Cl. HP10: Flack H 6B 28
Woodlane Gdns. HP10: Flack H 6C 28
Woodley Ct. HP7: Amer 5H 15
Woodley Hill HP5: Ches 7H 9
Woodpeckers HP9: B'fld 6K 29
Wood Pond Cl. HP9: Seer G 3G 31
WOODROW 1A 22
Woodrow High House 7A 14
Woodside HP10: Flack H 2E 36
Woodside Av. HP6: Amer 2H 15
   HP9: B'fld 4A 30
   HP10: Flack H 2E 36
Woodside Cl. HP9: B'fld 4A 30
   HP11: Wyc M 5D 28
   SL9: Chal P 6E 32

Woodside Hill SL9: Chal P 6E 32
Woodside Rd. HP6: Amer 3H 15
   HP9: B'fld 4A 30
   HP13: High W 6B 20
Woodside Way HP10: Tyl G 6E 20
Woodview Cl. HP12: High W 4B 18
Woodview Dr. HP27: Speen 7C 4
Wood Way HP9: B'fld 6H 29
Woodwicks WD3: Map X 2K 33
Wooster Rd. HP9: B'fld 3A 30
Wooton Dr. HP10: Woo G 7G 29
Wordsworth Rd. HP11: High W 2F 27
Worthies, The HP7: Amer 6F 15
               (off High St.)
Wrensfield SL7: Mar 6C 34
Wren Va. HP13: Down 6G 19
Wright's Cotts. SL9: Chal P 5D 32
            (off Church La.)
Wright's La. HP16: P'wd 7J 5
Wrights Yd. HP16: Gt M 5C 6
Wyatt Cl. HP13: Down 6F 19
Wychwood HP16: Lit King 1D 12
Wychwood Gdns. HP12: Book 2C 26
Wychwood Ri. HP16: Gt M 1D 12
Wycombe Badminton Cen. 4D 26
Wycombe End HP9: B'fld 7B 30
WYCOMBE HOSPITAL 1G 27
Wycombe Ind. Mall HP11: High W 7F 19
Wycombe La. HP10: Woo G 1G 37
WYCOMBE MARSH 3K 27
Wycombe Mus. 7H 19
Wycombe Retail Pk. HP11: Wyc M 3B 28
Wycombe Rd. HP10: High W 5E 26
   HP15: Holm G 7D 12
   HP16: P'wd 6H 5
   SL7: Mar 5E 34
Wycombe Sports Cen. 4F 27
Wycombe Summit 4K 27
Wycombe Swan Theatre 1H 27
Wycombe Vw. HP10: Flack H 5B 28
Wycombe Wanderers FC . . . .7A 18 & 1A 26
Wye Gdns. HP12: High W 6D 18
Wye Ind. Est. HP11: High W 2B 28
Wye Rd. HP10: Woo G 7F 29
Wykeridge Cl. HP5: Ches 1F 9
Wynbury Dr. HP13: High W 5A 20
Wyndham Av. HP13: Down 5F 19
Wyngrave Pl. HP9: B'fld 2A 30
Wynn Gro. HP15: Hazle 3D 20
Wynnstay Gdns. SL7: Mar 3E 34
Wynnswick Rd. HP9: Seer G 2G 31

Y

Yarrowside HP7: Lit Chal 6B 16
Yew Tree Cl. HP9: B'fld 6D 30
Yew Tree Dr. HP15: Wid E 7B 12
Yew Wlk. HP15: Hazle 3C 20
York Cl. HP7: Amer 5K 15
York Rd. SL7: Mar 6D 34
York Way HP12: High W 3E 26
Youens Rd. HP12: Book 2C 26